D0714697

Daniel A. Bellemare

L'HÉBERTISME au Québec

Distributeur: L'Agence de distribution populaire
955 Amherst, Montréal.

Maquette: L'idée

Photos: François Rouleau

Dépôt Légal, 4e Trimestre 1976

Bibliothèque Nationale du Québec

ISBN: 0-7760-0702-5

Imprimé au Canada

Aux deux femmes de ma vie,
Geneviève et Lise.

Je tiens à remercier Mlle Rachelle Arbour qui a prêté son talent pour la reproduction graphique des illustrations d'appareils. Je tiens aussi à remercier MM. Roland Charbonneau et Yves Daigneault pour m'avoir initié à cette discipline exceptionnelle.

"Être fort pour être utile"

-G. Hébert

INTRODUCTION

La rédaction de cet ouvrage fut longue, étant donné la rareté de la littérature hébertiste.

En vous présentant ce petit manuel, je n'ai pas la prétention de vous présenter un traité de la *méthode naturelle.* Mes vues sont plus modestes.

J'ai tenté d'aborder les problèmes pratiques qu'affronte celui qui installe une piste d'hébertisme, et ce, d'une façon aussi rationelle que possible.

J'ai voulu aussi toucher la pédagogie et la formation du moniteur-spécialiste. N'est-ce pas l'étape qui suit la construction de la piste: il faut savoir comment s'en servir !

J'espère ainsi promouvoir l'hébertisme auprès de ceux qui sont associés au plein-air. Mes commentaires seront sûrement critiqués, et ainsi, ce sera peut-être la naissance de la littérature-hébertiste québécoise ! Ce n'est donc qu'une prise de contáct avec la discipline que suggèrent ces quelques pages. Je laisse à d'autres le soin d'analyser et de décomposer les éléments fondamentaux du système moteur !

I·HISTORIQUE

NAISSANCE DE LA MÉTHODE NATURELLE

Cette discipline, appelée la *méthode naturelle,* est peu connue et ses origines remontent aussi loin que celles de l'homme lui-même. Ce qu'Hébert a inventé, c'est le regroupement de tous les mouvements naturels dans une même discipline, tout en lui conservant le nom de "méthode naturelle". Plus tard, les disciples d'Hébert ont référé à cette méthode comme étant de l'Hébertisme, en hommage à leur maître. Encore, aujourd'hui d'ailleurs, les deux termes sont utilisés comme des synonymes.

Georges Hébert est né à Paris, le 27 avril 1875. En 1893, il entre à l'école navale et pendant 10 ans navigue sur le SUCHET. Au cours de nombreux voyages en pays exotiques, il est ébahi par la force physique des indigènes et leur musculature harmonieuse. Ses convictions sur les méthodes d'entraînement utilisées dans la marine sont ébranlées et il cherche à connaître la vie que mènent les indigènes. Il réalise rapidement que la vie *naturelle* leur avait procuré ce développement parfait.

Il lui vint l'idée de regrouper en 10 catégories [1] les mouvements naturels pratiqués par ces indigènes. Voici ce qu'écrit Chauvreau à ce sujet:

> *"Hébert, en contemplant les magnifiques spécimens humains des peuplades noires primitives, avait inconsciemment saisi toute la nécessité et l'intérêt de ces moyens naturels, en vue de refaire une race saine et forte."* [1A]

Mais il lui fallait trouver un moyen rationel pour adapter cette méthode naturelle à la vie occidentale civilisée.

---

(1) Voir énumération à p. 38 et 63.

(1A) Dans CARTON ET HÉBERT, DEUX MAÎTRES DE LA MÉTHODE NATURELLE, Les Éditions Ouvrières, Paris 1962, P. 95.

Hébert qui avait lui-même des aptitudes physiques remarquables (2), décide de colliger et d'appliquer les nombreuses observations qu'il a faites durant ses dix années de navigation. Il précise ses idées en traçant les principes de sa nouvelle méthode. Sa première synthèse est contenue dans un rapport qu'il fait parvenir au ministre de la Guerre, en 1904, et dans lequel il expose ses vues sur ce qui allait révolutionner l'entraînement physique dans la marine française.

Ce rapport emballe le ministre et dès 1905, il charge Hébert de l'éducation physique à l'école des fusiliers marins. Pour Hébert, c'est l'occasion de mettre en pratique ce qui n'avait été jusqu'alors que pure théorie. Il parvient à monter les appareils fondamentaux à l'application de sa méthode, même si au début l'entraînement n'est orienté que vers des exercices pouvant profiter aux futurs fusiliers marins: par exemple grimper à des câbles, à des échelles, faire de la course, des sauts . . . (3)

Par sa pervévérance et son entrain communicatif, Hébert réussit à troquer la sévère discipline militaire pour un climat de détente et de participation qui favorise le développement de ses méthodes. En 1909, on le charge de l'éducation physique de tous les marins. Les progrès devenaient évidents et la méthode d'Hébert gagne de plus en plus de popularité.

En 1913, se tient à Paris le congrès international de l'éducation physique. Hébert en profite pour prouver l'efficacité de sa méthode et ses élèves (au nombre d'environ 350) remportent un vif succès. Il répète l'exploit, à Reims, en 1914, au stade Coubertin.

Ces résultats en étonnèrent plusieurs dont le marquis de Polignac. Vivement intéressé, il fait construire le désormais célèbre COLLÈGE D'ATHLÈTES DE REIMS, et il appelle Hébert à la diriger. C'est l'apogée de la méthode naturelle (4)

On vient de partout pour visiter les installations *inusitées* de Georges Hébert. La popularité de sa méthode grandit au rythme de ses succès. Les adeptes se font de plus en plus nombreux. Les disciples d'Hébert eux-mêmes propagent la méthode à travers toute la France, voire même à travers le monde entier. Vers 1914, plusieurs foyers hébertistes ont déjà vu le jour et opèrent tous selon les principes inculqués par Hébert au Collège de Reims.

Malheureusement, la première guerre mondiale vient mettre un frein à cet essor. En 1914, Hébert est blessé près de Dixmude. Il est cité à l'ordre du jour:

---

(2) M. Claude Cousineau, dans le magazine CANADIAN CAMPING, Spring 1969, qui écrit à la page 62 que Georges Hébert "was considered a fine acrobat at the time, and even performed for the Monlier Circus."

(3) Il publia un petit travail à 30 exemplaires, intitulé LA GYMNASTIQUE RAISONNÉE.

(4) En juin 1913, on créa le Centre féminin pour la formation des monitrices (annexe du collège d'athlètes) et on commença à appliquer la méthode naturelle aux dames et aux jeunes filles.

"Blessé grièvement à Deerst, en maintenant avec courage sa compagnie sous un feu violent." (1)

Une balle lui avait traversé le bras. Après une longue hospitalisation, il en perdit l'usage.

En 1916, l'oeuvre d'Hébert semble disparaître: Hébert est devenu invalide et le collège de Reims fut détruit pendant la guerre. Heureusement, Hébert avait formé des disciples aussi enthousiastes que lui !

En 1917, le Dr. Paul Carton applique la méthode naturelle avec grand succès à des enfants convalescents. Dans la marine, l'oeuvre d'Hébert fut reprise par le lieutenant Bonneau. Peu à peu, les principes hébertistes débordent les cadres de la marine et le domaine public et privé viennent à s'y intéresser.

Entre temps, Hébert, aidé d'anciens collaborateurs du Collège de Reims, fonda à Deauville, la PALESTRA, un collège gymnique. De plus, Hébert reprend le combat dans la revue L'ÉDUCATION PHYSIQUE (2)

Le drame, comme l'écrit André Schlemmer (3) c'est que *jamais, Hébert ne fut appelé, ni avant, ni pendant, ni après l'occupation allemande, à diriger la formation des professeurs . . . Le résultat, c'est une méthode de compromis, une formation hybride.*

C'est pourquoi, l'hébertisme ne devint jamais une discipline bien définie. Chacun y apporta ses théories personnelles et on en vint à connaître une méthode *bâtarde* qui perdit de sa valeur première.

Le Dr. Thooris, au sujet du manque de cohésion dans l'application de la doctrine, écrivit:

"Quand une doctrine élaborée par un cerveau supérieur passe par d'autres cerveaux, loin de s'exalter comme un virus à chaque passage d'un animal à l'autre, elle perd peu à peu toute vertu et tombe dans la médiocrité publique où tout se confond." (4)

Il est navrant de constater que cette pénible situation se poursuit encore de nos jours, et ce même au Québec.

Devant cette situation, Hébert tenta de limiter les dégâts et dans un effort ultime rédigea plusieurs volumes. (5)

---

(1) SCHLEMNER, dans Carton et Hébert . . . Op. -Cit, à la page 91 Ordre no. 424 du 10 septembre 1915 et décision ministérielle du 27 juin 1919.

(2) C'est d'ailleurs cette petite revue sportive qui dès 1907 eut le mérite d'être la première à promouvoir la doctrine d'Hébert. Son directeur, Th. Vienne était enthousiasmé par cette nouvelle conception de l'entraînement physique.

(3) Op. -Cit., à la page 93.

(4) Dr. A. Thooris, *Cahiers techniques de l'éducation physique,* 1939, 10ième année, édités par Sport et Santé.

(5) Vous trouverez à la fin de cet ouvrage une liste complète des oeuvres de G. Hébert.

Il voulu ainsi graver, pour une postérité plus reconnaissante, l'essence des principes d'une méthode devenue méconnaissable. De 1931 à 1957, il cristallise sa doctrine dans une oeuvre imposante. La paralysie le frappe en 1953 et une nouvelle attaque fatale l'emporte le 2 août 1957. (1)

LA VENUE DE L'HÉBERTISME AU QUÉBEC

Au Québec, il semble que l'hébertisme fut introduit après la deuxième guerre mondiale. C'est le camp-école Trois-Saumons qui aurait été le premier à offrir cette discipline. M. Cousineau (2) soutient que la piste du camp Trois-Saumons fut d'ailleurs la première à voir le jour en Amérique du Nord.

C'est à deux officiers de l'armée canadienne que nous devons la venue de l'hébertisme au Québec: Georges Gauvreau et le père Raoul Cloutier. Fasciné par cette discipline, Georges Gauvreau, après la guerre, demeura en France pour bien assimiler les fondements de la méthode hébertiste. C'est donc la méthode naturelle dans ses éléments les plus purs qui a été importée au Québec: il nous incombe de la conserver !

Journal de Montréal, le jeudi 6 juin '74.

Oui, même avec un seul arbre perdu au milieu d'une cour aseptisée, nous sommes encore capables de nous fabriquer des rêves. Allez p'tit gars, revêts, toi aussi, ta peau de bête, transforme-toi en Tarzan, laisse de côté toutes tes préoccupations journalières et viens redécouvrir cette joie de grimper aux arbres. Redécouvre le soleil. . .

N.B. On peut aussi consulter l'ouvrage de Hébert, *L'ÉDUCATION PHYSIQUE ou l'entraînement complet par la méthode naturelle,* "Historique documentaire", (Appendice VI), Paris, Ed. Vuibert, 1941, 276 p. à p. 175.

On a aussi publié un historique sur l'hébertisme dans la revue L'*ÉDUCATION PHYSIQUE,* Janvier 1930.

(1) Cet historique fut largement inspiré du texte de André Schlemmer dans *CARTON ET HÉBERT, DEUX MAÎTRES DE LA MÉTHODE NATURELLE,* Op. -Cit., aux pages 89 à 94.

(2) COUSINEAU, Op. Cit. note 2.

II·L'HÉBERTISME: UN SURVOL

LA MÉTHODE NATURELLE: UN APERCU GLOBAL

Peu de personnes connaissent l'hébertisme au Québec. Il est donc utile d'exposer les fondements de la méthode de Georges Hébert.

Notions de base

> *"Comme toutes les grandes découvertes, la méthode est simple dans sa conception et pratique dans son application. Depuis ses premiers essais, la technique en a été minutieusement réglée, ajustée, à toutes les nécessités d'âge, de temps et de lieu. . ."*(1)

Nous avons lu, dans l'historique, que c'est à la vue des indigènes qu'Hébert a conçu sa méthode. Elle est donc basée sur un retour à la nature. Schlemmer écrivait que la *méthode naturelle comporte une connaissance respectueuse de la nature.* (2) Pour sa part, Hébert décrivait sa méthode comme étant *un retour à la nature, raisonné et adapté aux conditions de la vie sociale actuelle.* (3)

La méthode naturelle est essentiellement basée sur la pratique raisonnée des exercices pour lesquels l'homme est spécialement bâti et organisé; (4) en résumé, la méthode consiste à faire exécuter à l'homme ce pour quoi il est fait (5). La méthode naturelle suit la loi du développement NATUREL de tous les êtres libres, animaux comme humains. (6)

---

(1) THOORIS, dans l'entraînement physique complet par la méthode naturelle page 266.

(2) Dans Paul Carton et Georges Hébert page 9.

(3) HÉBERT, *Le code de la force,* page XIX.

(4) HÉBERT, *La culture virile,* page 149.

(5) HÉBERT, *Le code de la force* page XXI.

(6) Idem, page XVIII.

Elle est donc basée sur une observation minutieuse de l'être à l'état naturel suivie d'une longue réflexion finalement conceptualisée, ce qui permit à Hébert de propager sa doctrine.

La méthode naturelle n'est pas une simple méthode *d'entraînement physique;* Thooris disait que *l'hébertisme est à la fois une méthode et une doctrine; une méthode par sa cinématique utilitaire et une doctrine par ses aspirations civiques et morales.* [1] Pour se convaincre du haut degré d'élévation morale de cette discipline, il suffit de prendre connaissance des qualités viriles qu'elle développe.

La méthode naturelle vise à développer des êtres complets et utiles, tant au point de vue physique que moral.

Hébert concevait sa méthode comme un moyen concret d'épanouir l'homme, de lui faire prendre conscience de ses possibilités et d'exploiter ses aptitudes à un maximum raisonné:

> "L'hébertisme ne consiste pas, comme certains l'imaginent à tort, à exécuter simplement des exercices ou des mouvements naturels de marche, de course, de saut . . . c'est une synthèse d'actions qui tendent à développer ou à entretenir les aptitudes dans tous les genres d'activités, à accroître les résistances organiques, à cultiver les qualités viriles, en fin à mettre tout l'acquis, physique et viril au service du bien social. En d'autres mots, l'hébertisme est synonyme d'éducation physique complète et il consiste à appliquer la méthode naturelle dans sa forme pédagogique la plus élevée." [2]

L'hébertisme ne doit donc pas être perçu comme un loisir, comme une récréation pure et simple. Il se veut plus complet, plus utilitaire et plus élevé dans sa conception. En un mot, l'hébertisme, c'est une leçon de vie !

La méthode vue par la presse [3]

Dans la presse, on considérait de façon générale, la méthode d'Hébert comme une sorte de miracle en éducation physique. Le journal l'*Auto,* par la plume de son directeur Henri Desgranges publiait le 13 novembre 1909:

> ". . . et voilà comment, simplement, en souriant, un officier français a découvert le secret qui consiste à transformer des paysans lourds et

---

(1) THOORIS, cité note 1 page 267.

(2) HÉBERT, *Les champs d'ébats,* page 11.

(3) Pour avoir une idée d'ensemble de l'opinion de la presse face à la méthode d'Hébert, entre 1907 et 1914, on peut voir HÉBERT, *L'éducation physique ou l'entraînement complet par la méthode naturelle,* (appendice III) aux pages 124 et suivantes.

butors, des parisiens noceurs et hargneux en des hommes complets, bien portants, capables de tout faire, c'est-à-dire des soldats capables d'accomplir sur les champs de bataille les plus incroyables exploits."

Ces opinions sur la méthode naturelle sont basées non pas sur des principes théoriques, mais bien sur une constatation *de visu* des effets et des réalisations de cette méthode; c'est en voyant évoluer les disciples d'Hébert que même les journalistes durent finalement se rendre à l'évidence !

Il ne s'agit donc plus de théorie: nous voyons des comptes-rendus fidèles de l'application de la méthode. Par exemple, le Dr. Ruffier écrivait le 15 novembre 1909 que *la méthode est logique, d'accord avec l'anatomie et la physiologie; elle est d'application relativement simple . . . et elle amène nécessairement les adultes d'une vingtaine d'années au plein épanouissement de leur force et de leur santé.*

Dans le journal GROECIA, de novembre 1913, on écrivait que *c'est donc par la simple pratique des exercices et mouvements qui lui sont indispensables pour assurer sa protection et sa conservation qu'Hébert prétend former des hommes . . . les faibles, les chétifs ne sont même pas repoussés par lui; ils peuvent se transformer et se transforment, car chacun doit donner ce qu'il peut, et arriver à occuper SA PLACE.*

On pourrait continuer longuement l'énumération d'opinions aussi éloquentes. Elles rejoignent en fait la définition qu'Hébert donnait lui-même de sa méthode:

> *"La méthode naturelle, c'est un vaste système de développement et d'entretien physique, conforme à la nature, imité de celui des êtres primitifs agissant par besoin et par instinct. Il faut réaliser journellement autant que faire se peut, les conditions de la vie naturelle, avec ses activités, ses difficultés, ses imprévus et aussi ses dangers."* (1)

Le but moral

L'hébertisme contrairement à la plupart des autres méthodes d'éducation physique, ne vise pas seulement à développer l'aspect *animal* de l'homme. Elle vise plus haut en voulant développer aussi les qualités viriles. Elle forme le caractère des hébertistes pour qu'ils soient en mesure d'utiliser sainement leur développement physique. Elle tend à la création d'hommes forts et utiles.

Pour sa part, Hébert résumait les buts de sa doctrine en cinq points précis:

1. Vivre et s'échapper au grand air, en pleine nature.
2. Se viriliser par l'action physique volontaire et difficile.
3. S'élever moralement en se rendant utile et en pratiquant l'entraîde.

---

(1) HÉBERT, *Les champs d'ébats,* page 9.

4. Pratiquer la sobriété dans le boire et le manger, garder la mesure en toute chose afin d'accroître les résistances organiques et de conserver la santé.
5. Apprendre à se débrouiller en nature avec les moyens les plus divers et s'acclimater aux situations les plus diverses, en tirant le maximum.

Application concrète

Un groupe de professeurs d'éducation physique se retrouve dans un camp d'été, dans le but de taquiner le poisson pendant quelques jours. Ils furent conduits à un endroit propice, surnommé *Les petites chutes.* Cet endroit paradisiaque était situé à quelques heures de marche du camp: son accès difficile lui avait gardé son attrait naturel.

Le soir venu, deux autres professeurs arrivèrent au camp à la recherche de leurs collègues. J'héritai de l'ingrate tâche d'aller les conduire au campement des villégiateurs. Une nuit sans étoile et sans lune ne facilitait pas la marche déjà rendue difficile par des pluies torrentielles de l'après-midi. Il fallut s'éloigner des sentiers battus.

À quelques minutes de l'arrivée, il devint nécessaire de traverser un marais. La seule façon de le faire: avancer sur un billot *roulant.* Un des professeurs m'avoua être un champion de gymnastique et qu'il n'aurait aucun problème à effectuer la traversée. Rassuré, je franchi le billot sans dégât. Les autres furent moins chanceux. En me retournant, quelle ne fut pas ma surprise de voir le *champion* allongé dans cette eau infecte ! Son compagnon l'y suivit de près. Cet incident me fit réfléchir; Personnellement je n'étais pas gysmaste ! Le *champion* habitué à s'entraîner sur des appareils conventionnels,[1] n'avait pas acquis un développement complet et *utilitaire*. En revanche, l'hébertisme m'avait fourni les aptitudes nécessaires pour affronter avec succès cette situation imprévue.

Conclusion

L'hébertisme peut être défini comme l'art de l'adaptation à toute situation, l'art de la tempérance et de la mesure:

> *"La méthode naturelle est faite de confiance dans les moyens d'action les plus naturels; alimentation et jeûne; exercice et repos; aération et hydrothérapie; chaleur et froid; condition psychologiques et morales."* [1]

La devise d'Horace *"mens sana in corpore sano"* trouve dans la méthode naturelle son application pratique. Il en est de même de la formule du Père Didon *"citius, fortius, altius"* (plus vite, plus fort, plus haut).

Josée, une monitrice, écrivait que l'hébertisme *"c'est une grosse boîte à surprise pleine de la nature et*

---

(1) SCHLEMMER, dans *Paul Carton et Georges Hébert. . .* page 101.

de ses agréments. Il faut sauter dedans à pieds joints, l'explorer. . ."

Sylvain, un campeur, ajoutait que *"La piste d'hébertisme offrait la possibilité de s'exercer en toute tranquilité dans le décor tout à fait exceptionnel que nous offre la forêt, décor qui ne se retrouve pas dans un gymnase."*

En Allemagne, dans la petite ville de HAHNEN-KLEEBOCKSWEISE on a trouvé un expédient à la méthode naturelle d'Hébert. On a construit une sorte de piste d'hébertisme urbaine que l'on nomme aussi le *keep fit circuit.*

William Dusel (1) écrit que ce système fut breveté en Allemagne par le *Reasearch Center for urban anthropology* et il fut publié dans un livre intitulé *DIE STAEDTISCHE GESUNDHEITSPISTE* (la piste de santé urbaine). Il s'agit d'une série d'appareils représentant diverses situations ou exercices. C'est le professeur Resenberg de l'université d'Aukland en Nouvelle-Zélande qui fit connaître ce livre au monde occidental en le traduisant en anglais. Dusel décrit cette nouvelle méthode d'entraînement comme étant *the hottest exercise innovation of the year.* En réalité il ne s'agit que d'une adaptation urbaine des principes fondamentaux de la méthode naturelle:

> *"It is a series of landscaping changes, arranged so that as you follow the path of the circuit, you gain the exercise benefits on a reduced scale of mountain climbing and exploring the bushes."* (2)

Cette piste urbaine est sûrement une innovation et l'aspect urbain du circuit est à retenir. Malheureusement, ce circuit équivaut à de l'hébertisme *intérieur* puisqu'il n'a pas l'avantage de la grande nature.

LES QUALITÉS VIRILES (3)

Le dictionnaire donne des synonymes de *viril:* courageux, énergique, ferme. Cette notion se précise dans le contexte hébertiste. Hébert énonce plusieurs qualités viriles. (4) Pour lui, les principales qualités viriles étaient l'*énergie*, la *volonté,* le *courage,* la *hardiesse,* le *sang-froid,* le *coup d'oeil,* la *décision,* la *fermeté,* la *persévérance,* le *goût de l'initiative, de la difficulté* ou de *responsabilité,* l'*esprit de combativité.*

Pour Hébert, ces qualités sont solidaires: par exemple, le sang-froid, le coup d'oeil et la décision constituent la présence d'esprit. L'ensemble de toutes ces qualités viriles constituent la *confiance en soi.* Les qualités viriles se situent donc au niveau du caractère et se sont des qualités d'action.

---

(1) DUSEL, W, *Circuit training with a difference* dans le magazine FITNESS FOR LIVING, mai-juin 1969 page 61; voir aussi le numéro de novembre-décembre 1968 page 39.

(2) Idem.

(3) Pour un exposé plus détaillé sur la culture virile et ses composantes, on peut lire l'ouvrage d'Hébert, *La culture virile par l'action physique* 1946.

(4) Idem, pages 49-50.

Le général Lewal disait que la confiance en soi *est la certitude de posséder les ressources nécessaires pour se tirer d'affaire en toutes occasions.*

L'hébertisme s'occupe du développement complet de l'individu. Écoutons Hébert nous parler des qualités viriles:

> *"Chez le civilisé, la culture corporelle ne doit pas s'isoler; elle doit s'associer d'une part avec une culture de l'énergie et toutes les autres qualités d'action, dont l'ensemble constitue la virilité ou force de caractère; et d'autre part, avec une culture des sentiments nobles (honneur, bienfaisance, dévouement, entraide) dont la pratique constitue la moralité et rend l'être humain sociable. Les deux dernières cultures, viriles et morales, donnent à la méthode naturelle sa pleine valeur, et l'élèvement à la hauteur d'une éducation pour les jeunes et d'une discipline de vie pour les adultes."* (1)

Ces qualités viriles ne sont pas utiles uniquement en éducation physique et en hébertisme; elles permettent dans la vie de tous les jours de *départager les hommes des enfants.* La supériorité d'un être réside souvent dans sa force de caractère et dans son aptitude à faire face lucidement à toutes les situations.

La devise qui anima Hébert durant toute sa vie fut: **être fort pour être utile.** Évidemment, il ne s'agit pas uniquement de la force physique, mais également de la force morale.

On peut donc résumer les qualités viriles dans le tableau suivant:

1. PRÉSENCE D'ESPRIT = sang-froid
coup d'oeil
décision

2. HARDIESSE = présence d'esprit
courage
fermeté

3. VOLONTÉ = hardiesse
persévérance
goût de l'effort et de la difficulté
combativité

4. FORCE = volonté
initiative

5. CONFIANCE EN SOI = force (2)

---

(1) HÉBERT, *Les champs d'ébats,* pages 9 et 10.

(2) On peut remarquer qu'à la suite de cette série d'équations, une conclusion logique se dégage: la force englobe toutes les qualités viriles. Partant de cette équation, la devise d'Hébert prend toute sa signification.

Le développement des qualités viriles

La **présence d'esprit** est faite de sang-froid, d'un bon coup d'oeil et d'un esprit de décision. Par la présence d'esprit, on décèle le danger pour mieux l'affronter. Or, Dame Nature offre le meilleur environnement pour développer l'observation, pour entraîner le regard, pour aiguiser l'oeil.

Le saut est également un excellent exercice pour développer la rapidité de pensée, de décision et d'exécution. Don Francisco Amoros, fondateur de la gymnastique en France, écrivait à ce sujet:

> *"L'art de sauter demande le plus de calculs et de combinaisons dans la pratique. Or, comme ces calculs doivent être faits avec la rapidité de l'éclair, n'ayant pas un instant à perdre dans le moment d'exécution, il résulte que l'on est forcé de faire des jugements très exacts, très prompts, donnant ainsi au cerveau un exercice aussi actif que celui que l'on donne aux muscles dans l'action matérielle."* (1)

Il en va de même dans la traversée des ruisseaux ou des petites rivières en sautant de roches en roches. Il faut d'abord apercevoir les roches dans l'eau (coup d'oeil), savoir laquelle utiliser (décision et jugement) et enfin, ne pas craindre de glisser sur la mousse mouillée qui les recouvre (sang-froid).

La **hardiesse** est aussi une qualité virile indispensable. Elle est faite de courage et de fermeté. Or, la piste d'hébertisme offre de nombreuses occasions de développer cette importante qualité. Prenons par exemple l'équilibrisme. Un seul faux mouvement et c'est la chute. Une bonne dose de courage est nécessaire pour vaincre le vertige et il faut de la fermeté pour le surmonter ! Le vertige, disait Hébert (2) est le type du réflexe purement nerveux. Celui qui sait le vaincre a déjà pris un grand empire sur ses nerfs.

Il a été maintes fois prouvé que le vertige n'est que psychologique. Il est crée par la sensation du vide et par l'absence de repère visuel. Hébert voyait dans l'équilibrisme une formation salutaire:

> *"Du point de vue éducatif, la lutte contre le vertige développe certaines qualités précieuses d'ordre viril et nerveux. Elle oblige à surmonter la peur et à maitriser ses nerfs; elle tend à donner du calme, du sang-froid, de la confiance en soi. . ."*(3)

Le **courage** est évidemment une qualité primordiale pour le chef de file, le meneur d'hommes. Hébert

---

(1) Cité dans HÉBERT, *Culture virile* page 25.

(2) HÉBERT, *Culture virile,* page 82.

(3) HÉBERT, *L'éducation physique virile et morale par la méthode naturelle,* tome III, fascicule 3 page 661.

écrivait à ce sujet que *le vrai courage n'est pas la bravoure, c'est une qualité virile, tandis que la bravoure, n'est le plus souvent, qu'un phénomène nerveux . . . On définit quelquefois la peur comme étant la fuite en arrière, et la bravoure, la fuite en avant.* (1)

D'ailleurs, le courage comprend *l'éducation au danger* qui permet de transformer une bravoure inconsidérée en un courage salutaire. Il faut s'habituer à vivre avec le risque et le danger: il faut l'apprivoiser.

Jean Delorme écrivait avec beaucoup d'à propos que:

> *"Aucune entreprise humaine n'est exempte de risques; la vie elle-même est un risque. Il est donc utopique de croire en la possibilité de se placer à l'abri des adversités probables et des dangers possibles; autant vouloir se condamner à l'inaction. On a dit avec raison que "qui ne risque rien n'a rien". En outre, si l'on gradue, selon leur envergure et leur importance relative, les fonctions remplies par l'homme, on constate que, plus on s'élève, plus les risques sont nombreux et considérables et, par conséquent, plus impérieuse est la nécessité de la hardiesse."* (2)

Il est beaucoup plus positif d'enseigner le danger que de défendre carrément un exercice. L'exercice sera dangeureux dans la mesure où on ignore comment le faire. Pour maîtriser le danger, il faut le connaître!

Hébert résume en cinq points le processus d'éducation au danger:

a) Éveiller l'attention (première condition de sécurité) c'est-à-dire développer chez l'élève la vivacité du coup d'oeil indispensable pour juger à temps du danger, ou apercevoir la difficulté.(3)

b) Mettre l'élève en présence de difficultés réelles ou de risques en lui faisant tenter des exercices présentant un certain danger d'exécution.

c) Faire envisager de sang-froid à l'élève, d'une part les difficultés à vaincre ou le risque à courir (4) et d'autre part, ses propres possibilités.

d) Faire naître le désir d'agir pour surmonter la difficulté ou le danger en toute connaissance de cause, par réflexion et calcul prudent.

---

(1) HÉBERT, *La culture virile* page 54

(2) DELORME, J. *Pour former les jeunes* tome II, page 41.

(3) Ici, Hébert, affirme que la hardiesse nécessite l'acquisition préalable d'une autre qualité virile qui est la présence d'esprit.

(4) Une fois que les jeunes savent quoi faire en cas d'accident, on peut toujours simuler une chute. On évaluera ainsi le degré de progression de chacun dans l'acquisition du sang-froid.

e) Faire prendre à l'élève une résolution ferme de s'exhorter à dominer toute appréhension et de tenter avec confiance l'exécution de certains mouvements. (1)

Une autre qualité virile est la **volonté.** Cette qualité produit la persévérance, le goût de l'effort et de la difficulté et l'esprit de combativité.

On peut même rejoindre par la volonté, la qualité d'endurance.

On a souvent dit qu'un homme de force moyenne mais très volontaire, c'est-à-dire avec beaucoup d'endurance, est plus utile que l'homme de force herculéenne, mais de peu d'endurance. L'effort spectaculaire, mais de courte durée, a peu de valeur. L'endurance est synonyme d'énergie: un auteur japonais écrivait que *c'est l'énergie qui, lorsque le corps demande grâce, fait la sourde oreille. C'est elle qui dit marche aux membres fatigués et qui commande: encore ! lorsque le corps dit: assez ! Et c'est à cette voix seule que le corps las, les pieds devenus lourds, les mains raidies par l'effort, sont dressés à obéir.* (2)

D'ailleurs, un autre aspect de l'endurance, peut-être plus terre à terre, mais non moins important, c'est *l'endurance aux moustiques.* La piste d'hébertisme se situe en pleine nature, ces bestioles embêtantes hantent continuellement les participants qu'il faut habituer à cette situation. Les insectes sont particulièrement attirés par les parfums, les eaux de cologne, les lotions. Il faut donc les éviter. Il existe aussi un grand nombre de produits anti-insectes mais leur effet est très éphémère. La meilleure défense en est une toute naturelle: la transpiration ! Aucun moustique ne s'approche d'un front ruisselant de sueur ! Mais pour transpirer, il faut travailler !

Il faut aussi parler de *l'esprit sportif.* Il est nécessaire d'être combatif, mais il faut accepter la défaite. C'est ainsi qu'on apprend à dompter un tempérament trop fougeux. Celui qui sait avoir atteint sa limite de résistance sera satisfait même dans la défaite. Il sait avoir donné tout ce qu'il possédait et dès lors naîtra une motivation nouvelle à augmenter ses limites.

On peut aussi parler de la **force**. Pour Hébert, être fort signifie être développé d'une manière complète et utile:

> *"L'être fort est résistant, musclé, vite, adroit, énergique, endurant et sobre. De plus, il sait marcher, courir, sauter, grimper, quadrupéder, s'équilibrer, lever, lancer, se défendre et nager."* (3)

---

(1) HÉBERT, *Éducation physique virile par la méthode naturelle* tome I page 174.

(2) YORIMOTO-TASHI, *l'énergie en douze leçons* éditions Nilsson cité par Hébert dans Culture Virile page 53.

(3) HÉBERT, *le code de la force* page 6.

En définissant l'être fort, Hébert énumère les moyens à prendre pour le devenir. On y retrouve les 10 catégories d'exercices fondamentaux en hébertisme: ce sont la marche, la course, le saut, la quadrupétie, le grimper, l'équilibrisme, le lever, le lancer, la défense et la nation. (1)

Ces catégories générales se subdivisent en sous-catégories aussi nombreuses qu'il y a de façons d'effectuer les exercices prescrits. Il y a aussi des activités secondaires comme par exemple le cyclisme, l'aviron et l'équitation. Ces exercices complètent les catégories de base en s'y intégrant. (2)

Toutes ces qualités se complètent également par l'**initiative.** Delorme écrivait que *pour être admise comme initiative, une activité toute nouvelle ou spontanée qu'elle soit, doit être conditionnée par la poursuite d'un idéal . . ."* (3)

Cet idéal se retrouvera dans la volonté de se parfaire par l'acquisition des qualités viriles et ce toujours dans le but d'être utile ! Il y a d'ailleurs un autre aspect qui touche à la force et à l'initiative, c'est la **débrouillardise** soit l'aptitude à adapter notre connaissance à tout ce qui se présente. Il faut être débrouillard pour pouvoir faire face à tout danger possible en agissant froidement. Pour surmonter un obstacle, il faut être débrouillard, imaginatif et se servir des moyens du bord. On finit toujours par triompher d'un obstacle. Peu importe la manière, c'est le résultat qui compte: la fin justifie les moyens ! Il arrive souvent qu'en théorie on sache surmonter un obstacle mais c'est la débrouillardise qui permettra de réaliser ce qu'on connait en théorie.

Conclusion

En Hébertisme, l'acquisition des qualités viriles n'est jamais absolue: elle est toujours fonction de l'individu qui peut se développer à un rythme qui lui est personnel. Le plus faible progressera sans contrainte et le plus fort ou le plus habile pourra canaliser ses énergies en aidant ceux qui sont moins développés ou ceux qui n'ont pas acquis le même degré de confiance en soi. Voilà une belle leçon de vie !

---

(1) Idem, introduction page XIV

(2) C'est pourquoi l'hébertisme complète avantageusement les autres activités des bases de plein-air.

(3) DELORME, J., *Pour former les jeunes,* tome I, page 95, Montréal 1954.

III-L'HÉBERTISME: UNE SPÉCIALISATION

Remarques préliminaires

Le choix du spécialiste en hébertisme ne devrait pas être l'effet du hasard. En particulier, les administrateurs des camps d'été devraient faire ce choix avec autant de soin que lorsqu'il s'agit de nommer le maître-nageur. Malheureusement, il n'est pas rare de rencontrer des moniteurs responsables d'une piste d'hébertisme qui ont hérité de ce poste parce qu'ils n'étaient pas assez qualifiés pour prendre la responsabilité d'une activité plus conventionnelle.

Pourtant, pour assumer la responsabilité de l'hébertisme, il faut être qualifié, avoir une bonne préparation et jouir d'une certaine expérience. Certains pensent que les professeurs d'éducation physique sont les plus aptes à remplir le poste. Évidemment, ils ont l'avantage d'avoir certaines techniques qui se retrouvent dans les mouvements hébertistes. Mais ce n'est pas complet. Louis Tourangeau, en faisant des commentaires au sujet de la politique d'embauche de certains moniteurs écrivait ce qui suit:

"Tous les professeurs et moniteurs de ce camp sont des spécialistes renommés; ils ont non seulement été choisis pour leur compétence, mais aussi pour leur **valeur morale,** *leur sociabilité, leur formation spéciale et leur facilité d'adaptation . . ."* (1)

Certains diront que n'importe qui peut aller *jouer* dans le bois, avec des jeunes. Mais ce n'est pas de l'hébertisme. Mais si on veut en faire, il faut alors référer à des spécialistes.

Évidemment, pour toutes sortes de raisons, on rencontre souvent une certaine tendance à la polyvalence des moniteurs. Pourtant les administrateurs des camps d'été insistent sur la sécurité qui ne peut être réelle que par l'entremise d'un personnel qualifié. N'est-il pas préférable de supprimer les activités qui ne sont pas sous la surveillance d'un spécialiste?

D'ailleurs, la polyvalence n'empêche pas la spécialisation: il est possible de concevoir un programme dans

(1) L'ÉCHO DU NORD, St-Jérôme, 7 août 1974.

lequel est incorporé le système spécialiste-moniteur qui assure une rotation salutaire dans la surveillance des jeunes. On peut par exemple citer cet exemple d'horaire qui incorpore le système spécialiste-moniteur:

7:00	à	9:00	moniteurs (lever et déjeuner)
9:00	à	11:00	spécialistes (activités)
11:00	à	12:00	spécialiste et monieurs (bain)
12:00	à	13:00	moniteurs (diner)
13:00	à	16:00	spécialistes (activités)
16:00	à	17:00	spécialistes et moniteurs (bain)
17:00	à	18:30	moniteurs (souper)
18:30	à	21:00	moniteurs (activités de groupe) + spécialiste (facultatif)
21:00	à	21:30	moniteurs (collation)
21:30			moniteurs (coucher)

surveillance de nuit: moniteur

Voici les 5 avantages d'un tel système:

1. Les jeunes sont toujours sous la surveillance d'une personne attentive et reposée.

2. Les programmes sont mieux rodés et les installations en bon état puisque chaque spécialiste a le temps de les réparer et de les entretenir.

3. Les spécialistes ont le temps d'établir leurs programmes et de les adapter.

4. Les moniteurs ont le temps de préparer les activités de groupe pour le soir.

5. La tâche de chacun étant bien précise, selon un horaire fixe, on peut compter sur eux lorsque requis.

On dira peut-être que le spécialiste a alors trop de temps libre et que dès lors il ne mérite pas son salaire. Pourtant un spécialiste compétent manque toujours de temps pour préparer ses leçons. En hébertisme, le spécialiste doit aménager sa piste, l'entretenir, solidifier les appareils, en construire d'autres, doser son programme, et toujours trouver quelque chose de nouveau pour garder l'intérêt. Il doit évaluer le rendement des participants et organiser les épreuves. Il pourra même établir un système de points et de grades.

Il ne faut donc pas négliger le choix du spécialiste en hébertisme. Il est nécessaire à la réussite, à la popularité et à la sécurité de cette activité.

Perception de l'hébertisme

Une enquête fut menée auprès des camps du Québec dans laquelle la question suivante était posée: *Quel est pour vous l'intérêt d'une piste d'hébertisme dans votre camp ?*

Voici les exemples de réponses:

"La piste d'hébertisme complète bien les autres activités; par son aspect ludique, l'enfant y porte facilement son intérêt . . . le premier but d'une piste d'hébertisme dans un camp de vacances, c'est d'amuser les enfants . . ."

"Cette activité en est une de plein air et de nature; l'hébertisme correspond à plusieurs désirs du jeune, comme le risque mesuré, grimper, sauter . . ."

"Si nous maintenons l'hébertisme dans notre programme, c'est que nous croyons que c'est plus intéressant et plus formateur que de faire des exercices de gymnastique ordinaire . . ."

"Sensibiliser les non-initiés à l'environnement nouveau, développer force, agileté, équilibre, endurance, souffle et bons réflexes . . ."

"Activité formatrice et agréable qui prépare les jeunes physiquement à surmonter les efforts demandés par le canot-camping".

"Formation et développement intégral de l'enfant, liberté d'action, efforts rythmés, maximum de détente . . ."

"Une piste d'hébertisme, c'est un ensemble d'exercices physiques qui favorisent le développement musculaire et ce qui peut être intéressant, c'est le plein-air et les obstacles naturels."

"Une occasion rêvée pour les enfants de découvrir la nature tout en s'amusant."

"C'est aussi important que de manger."

"La piste d'hébertisme nous permet d'offrir un moyen agréable à nos enfants de développer certains mouvements essentiels au développement harmonieux de leur corps."

"Développer l'habileté motrice, l'adresse, l'effort le courage, la participation, l'esprit du travail individuel et collection, la rapidité, la vivacité, le goût de compétition . . ."

"La piste d'hébertisme procure aux enfants l'avantage de vaincre les obstacles que leur présente la nature."

"C'est une activité de base."

"Former et amuser les enfants."

"Développer chez l'enfant un certain nombre d'Habiletés physiques."

"Donner au jeune la chance de développer son corps à l'aide d'exercices physiques, avec les moyens et les choses que la nature nous offre."

"Donner aux enfants l'occasion d'un développement physique: coordination, défi à surmonter, auto-compétition . . ."

On voit que l'hébertisme est davantage perçu comme un amusement en pleine nature que comme une activité formatrice. De plus, l'aspect physique du développement de l'enfant prime et on semble négliger le développement des qualités viriles. La piste d'hébertisme ne devient alors qu'un simple gymnase en plein air et non pas le champ d'ébats formateur que préconisait Hébert.

Hébert remarquait deux façons différentes de concevoir la pratique des exercices physiques:

"L'une purement physique ou technique; dans ce cas le but à atteindre est purement matériel. L'autre d'ordre à la fois physique, virile et morale visant l'esprit aussi bien que la matière l'âme comme le corps. C'est la formule trilogique synthétisant la méthode naturelle; on ne dissocie pas le tout formant l'être humain." (1)

Discipline sur la piste

La discipline doit être à la fois souple et ferme. Elle doit être souple en ce sens que nul ne peut se développer dans un climat tendu; ferme puisque la sécurité sur la piste exige un minimum de contrôle.

Par exemple, il est imprudent de laisser les participants libres d'évoluer sur n'importe quel appareil; ils doivent **tous être à la même station en même temps.** Évidemment, il ne s'agit pas d'exiger une discipline rigide sur la piste. Il faut permettre aux participants de se débarasser de leur trop-plein d'énergie et permettre à chacun d'exprimer bruyamment son enthousiasme. Le moniteur doit non seulement tolérer les cris et les chants mais il doit même les favoriser. Hébert écrivait: (2)

"Outre l'effet moral, le chant avait pour but d'augmenter la capacité respiratoire et de développer les voix."

La piste d'hébertisme doit inspirer la bonne humeur et l'enthousiasme. Hébert ne nommait-il pas sa piste "Champ d'ébats"? Les ébats doivent être autant physiques, moraux que vocaux. Quoi de plus stimulant qu'un chant entraînant ? Il s'agit d'allier l'utile à l'agréable.

Le spécialiste décidera du degré de discipline nécessaire en faisant en sorte que ce contrôle ne prime pas sur l'intérêt et l'enthousiasme.

---

(1) *Les champs d'ébats,* page 39.

(2) *La culture virile par l'action physique,* page 134.

Les qualités du spécialiste

Il faut rechercher chez le spécialiste les qualités suivantes: pédagogie, capacité d'adaptation, imagination, esprit d'initiative et habileté technique.

En effet, il est essentiel que le spécialiste puisse transmettre ses connaissances d'une façon rationelle et agréable. Il devra donc être un pédagogue comme le fait remarquer Hébert:

> "La technique et la pédagogie sont forcément liées. Mais la pédagogie a une importance prédominante et, en fait, elle englobe la technique pour parvenir à ses fins. En résumé, la pédagogie est l'art d'éduquer physiquement, virilement et moralement. Elle nécessite des qualités de réflexion, de doigté, de finesse, dont les unes peuvent être innées, mais dont les autres ne peuvent s'acquérir que par une formation spéciale et une longue expérience professionnelle au contact de l'enfance et de l'adolescence." (1)

Il s'agit bien cependant d'une pédagogie particulière. Hébert le précise de la façon suivante:

> "L'art de conduire une leçon complète et de diriger un entraînement généralisé pendant une période donnée constitue la pédagogie de l'éducation physique. Manoeuvrer des groupes de manière que chacun des membres qui les composent puisse produire librement du travail naturel, c'est-à-dire par déplacement: doser, graduer, rythmer, alterner les exercices; distinguer les signes objectifs de fatigue; ménager des détentes ou des repos relatifs sans rompre la continuité du travail; enfin, composer une suite de leçons complètes dont l'ensemble constitue un programme d'entraînement adapté aux possibilités des sujets à développer tel est l'essentiel du rôle de moniteur." (2)

Quant à la capacité d'adaptation, il ne s'agit pas uniquement de l'adaptation au groupe, mais aussi de l'adaptation à l'environnement et aux multiples situations qui peuvent se présenter.

Par exemple, si aucune piste n'est disponible, le spécialiste ne doit pas être désarmé pour autant. Il doit pouvoir profiter du terrain disponible et s'adapter aux *moyens naturels.*

Il doit également s'adapter au climat. La leçon d'un jour de pluie ne sera pas la même que celle d'un jour ensoleillé puisque certains appareils deviennent dangereux sous la pluie.

La spécialiste doit aussi s'adapter à son groupe et apprendre à connaître les possibilités des participants. La leçon doit toujours être bien équilibrée, menée sur une base *effort-repos,* de façon à assurer à l'enfant une récupération efficace.

---

(1) *L'éducation physique virile et morale par la méthode naturelle* tome I page 15.

(2) *Le guide abrégé du moniteur et de la monitrice,* page XI.

Il sera donc utile de pouvoir déceler la fatigue du participant: les exercices les plus exigeants tant par l'effort physique que par la concentration doivent être exécutés au début de la leçon. Hébert avait d'ailleurs la même opinion:

> "Un maître (lire spécialiste) qui a conscience de ces responsabilités ne doit pas exiger certaines performances difficiles de sujets énervés, chagrinés ou qui paraissent fatigués." (1)

Hébert avait d'ailleurs établi quatre règles pour aider le spécialiste à adapter sa leçon au groupe qui lui est confié:

> "1. D'après leur robustesse et leur vitalité du moment;
> 2. D'après leurs aptitudes et leur degré d'entraînement;
> 3. D'après l'état du temps au moment de la scène (lire: la leçon);
> 4. D'après les jeux ou les sports, les exercices ou travaux restant à faire ou venant d'être faits dans le courant de la journée." (2)

À la lecture de ces critères, on constate que le spécialiste ne doit pas s'en tenir à un programme établi; il doit être libre de s'en écarter pour pouvoir l'adapter au gré des jours et des groupes.

Il faut aussi au spécialiste de l'imagination et de l'initiative, deux qualités essentielles en hébertisme puisque le spécialiste doit faire face à des situations imprévues. Par exemple, lorsqu'il s'agit de la construction de la piste, le moniteur peut s'inspirer de pistes déjà faites ou encore imaginer certains appareils qui permettront de mettre en oeuvre les exercices de base. Il faudra parfois imaginer des appareils particuliers à cause des accidents du terrain et de la disposition des obstacles. Il aura d'ailleurs toujours la responsabilité des travaux. C'est ce qu'écrivait le directeur du camp Carowanis, Walter Mingie:

> "One senior staff member must be in charge of the course, and approve the location for each apparatus and of its construction. Also, proper supervision must be given to the use of axes, tying of ropes, and nailing or bolting cross pieces." (3)

Georges Hébert avait d'ailleurs lui-même insisté sur l'importance de l'initiative en ces termes: (4)

---

(1) *L'éducation physique virile et morale par la méthode naturelle* tome 3, fascicule 111 page 516.

(2) Idem, tome 1, page 75.

(3) *A Hebertisme course for your camp?* dans Canadian Camping Magazine, Spring 1972, page 14.

(4) *L'éducation physique virile et morale par la méthode naturelle* tome 1, page 97.

"Le maître (spécialiste), par suite de son double rôle de directeur de l'entraînement et de conducteur du travail de la leçon, a de nombreuses et importantes initiatives à prendre. Ces initiatives constituent l'essentiel de sa tâche personnelle et elles peuvent se résumer ainsi:

1. Établissement, par écrit et d'avance, du programme d'entraînement et d'entretien annuels, ainsi que des séances spéciales de grand jeux, de grands parcours, de sports, de travaux manuels, etc. . .
2. Composition des leçons;
3. Dosage du travail à chaque leçon;
4. Dépistage des points faibles de chaque sujet;
5. Entraînement spécial des sujets faibles ou à ménager. Exercices à supprimer ou, au contraire, à travailler particulièrement;
6. Culture des qualités viriles;
7. Culture des sentiments nobles;
8. Émulation et goût de l'effort à faire naître ou à contenir;
9. Action psyhique à assurer dans le sens de la joie et de l'enthousiasme;
10. Contrôle des résultats, examens physiques; Passage d'épreuves:
11. Organisation de concours périodiques;
12. Recherche de perfectionnement à apporter dans les installations matérielles;
13. Établissement de prescriptions concernant la sécurité des élèves pendant les exercices et ce, particulièrement aux appareils."

L'esprit d'initiative doit aussi se manifester pour susciter l'entrain et l'enthousiasme des participants. Hébert écrivait:

"Qu'il ne suffit pas d'ouvrir un champ d'ébats (piste d'hébertisme) de copier des installations et d'établir un plan de fonctionnement pour que des résultats intéressants soient acquis à coup sûr. Tout dépend de l'animateur, de celui qui anime en agissant d'abord sur l'âme. Il doit susciter l'entrain des jeunes, éveiller leur imagination et cultiver leur enthousiasme." (1)

Le spécialiste ne doit jamais cesser d'animer des leçons et de veiller à la formation des participants. Hébert écrit plus loin que:

"les auxiliaires du moniteur peuvent n'être à la rigueur que de simples donners de cours, mais en pareil cas, il (le moniteur) doit suppléer à leur carence d'action morale et son effort est augmenté d'autant. Le difficile, répétons-le, ce n'est pas d'installer un champ d'ébats; c'est de l'animer dans le sens convenable." (2)

Finalement, le spécialiste en hébertisme doit être un technicien. Il doit pouvoir démontrer lui-même les exercices. C'est d'ailleurs la qualité la plus facile à trouver chez un candidat puisque traditionnellement on insiste sur l'aspect purement physique ou matériel de l'éducation physique.

(1) *Les champs d'ébats* pages 32-33
(2) Idem, page 39.

Conclusion

Le spécialiste devra lui-même avoir acquis les qualités viriles qu'il tente d'inculquer aux participants. Hébert décrivait le moniteur idéal en ces termes:

> "L'éducateur physique parfait est à la fois un technicien capable d'enseigner et de démontrer lui-même les exercices et un pédagogue apte à conduire une éducation, ce dernier mot étant toujours pris dans son sens le plus complet." (1)

Le rôle du spécialiste

Lors de la toute première leçon, le spécialiste doit faire un bref historique de la méthode naturelle ce qui a pour effet de piquer l'intérêt des participants et de les motiver. Ensuite, on procède à une brève période de réchauffement; un peu de jogging est un excellent début.

Au cours de la leçon, le spécialiste doit mettre en pratique les conseils qu'on retrouve dans le chapitre V, p. 53 et ss. afin de ne pas engager sa responsabilité. Ensuite, il doit assurer la sécurité sur la piste en exerçant une surveillance attentive et continue. Il doit enseigner les *parades* et *réchappes*. Les *parades* sont les techniques de protection de celui qui évolue sur un appareil; les "pareurs" sont ceux qui ne sont pas sur l'appareil et qui sont prêts à saisir celui qui s'exécute, au cas de chute. Un bon exercice pour faire prendre conscience aux enfants de la nécessité d'une bonne parade, c'est de leur placer un dollar en papier entre le pouce et l'index. Ils tiennent leurs deux doigts ouverts à environ 1 pouce l'un de l'autre. On place le dollar au centre et on leur dit de refermer leurs doigts sur le dollar lorsqu'on le laissera tomber, mais pas avant. Neuf fois sur dix, ils ne réussiront pas à le saisir. On imagine alors que les doigts sont les pareurs et le dollar qui tombe, c'est un participant en chute. Les participants réalisent alors rapidement l'importance d'une bonne parade et sont dès lors très attentifs lorsqu'on leur confie la tâche de pareurs.

La *réchappe,* c'est un moyen d'éviter la chute, ou de chuter de façon sécuritaire. Par exemple, sur des poutres d'équilibre, la réchappe est le saut sur terre en cas de faux mouvement. Il est préférable de sauter que de tenter de se redresser à tout prix: il s'agit de sauter en bas comme s'il s'agissait d'un saut normal.

Évidemment, la sécurité dépend de la solidité des installations. Il faut donc les vérifier chaque jour et les solidifier à la moindre défaillance. On ne devrait jamais utiliser des appareils qui ne sont pas en parfait ordre. Il faut faire attention, en particulier, à des clous mal cachés, à des câbles ou des planches pourris, etc.

Le moniteur ne doit pas oublier l'aspect formateur de son rôle. Il doit profiter de toutes les occasions pour tenter d'inculquer les qualités viriles aux participants. Hébert écrivait:

(1) *L'éducation physique virile et morale par la méthode naturelle* tome 1 page 16.

"Le maître (spécialiste) ne doit jamais perdre de vue la partie élevée de son rôle d'éducateur: former des êtres énergiques, animés de sentiments nobles. Il a une mission active à remplir: viriliser et préparer à la vie pratique.
Tout en prenant les précautions nécessaires, il doit apprendre à ses élèves, non à se soustraire constamment aux difficultés ou à fuir les dangers, mais au contraire à les surmonter dans la limite du possible." (1)

Ce que le moniteur doit développer chez ses sujets, c'est une force utile, un développement complet qui permettra de faire face aux dangers de la vie quotidienne:

"L'éducation physique, pour justifier sa dénomination, doit mettre chacun en état de faire face aux nécessités d'ordre physique aussi bien qu'aux éventualités, incidents et dangers divers qui sont le lot de l'existence et auxquels nul n'échappe un jour ou l'autre, soit pour se tirer soi-même d'affaire, soit pour en tirer les autres." (2)

On comprend alors mieux la devise de Georges Hébert qui disait: être fort pour être utile. Il ne faut pas oublier que l'hébertisme n'est pas un sport dans le sens strict du terme. Le baron Pierre de Coubertin écrivait que le sport:

"est le culte volontaire et habituel de l'exercice musculaire intensif, incité par le désir du progrès et ne craignant pas d'aller jusqu'au risque . . . le sport n'est pas naturel à l'homme; il est en contradiction formelle avec la loi animale du moindre effort." (3)

Après la leçon, le spécialiste doit être en mesure de faire prendre conscience aux adeptes des qualités viriles développées pendant les exercices pratiqués.

---

(1) *L'éducation physique virile et morale par la méthode naturelle* tome 1 page 106.

(2) Hébert, *Une faute grave, la méconnaissance du principe d'utilité,* "L'éducation physique", 1er trimestre 1952, cité dans DUPUY, RENAUD et BARRON, *Les Parcours en éducation physique,* tome 1, "Les parcours en espace restreint" pages 27-28.

(3) Coubertin, *Pédagogie sportive,* Paris 1972 page 7.

IV· L'HÉBERTISME: UNE APPROCHE PRATIQUE

Fondamentalement, on peut distinguer deux sortes d'hébertisme; d'une part, *l'hébertisme en piste* et d'autre part, *l'hébertisme libre.** Nous analyserons tour à tour ces deux modalités de la discipline d'Hébert, dans l'optique du camp d'été.

L'HÉBERTISME EN PISTE

L'hébertisme en piste est le mode traditionel et généralement reconnu.

Dans un camp d'été, l'hébertisme en piste peut être une corvée fastidieuse et pénible, ou un délassement passionnant. Tout dépend de l'approche préconisée par le spécialiste.

La piste, c'est un laboratoire où on se familiarise avec la nature et ses difficultés. Le jeune analyse ses possibilités et prend conscience de ses limites. C'est ici que l'apprentissage des qualités viriles commence, et on y apprend aussi à maîtriser les différents appareils. En d'autres termes, on acquiert les rudiments nécessaires à la pratique de l'hébertisme libre.

Traditionel peut-être, l'hébertisme en piste n'en demeure pas moins indispensable. Habituellement, lorsque les participants sont plus jeunes, ils trouveront plus de plaisir à pratiquer l'hébertisme sur la piste que dans la grande nature.

Il est aussi plus sécuritaire; en effet, on est conscient des dangers éventuels, on connait la solidité et la possibilité des appareils. On peut ainsi mieux diriger la progression des participants. Un autre avantage de la piste, c'est que tous les appareils sont déjà là, prêts à être utilisés, alors que dans le cas de l'hébertisme libre, on doit les construire au gré des obstacles.

De plus, si on n'a qu'une période de 45 minutes pour la leçon hébertiste, il faudra absolument se confiner à la piste. L'hébertisme libre suppose des leçons beaucoup plus longues . . . (toute une journée par exemple !)

* Hébert avait une appellation différente pour ces deux genres d'hébertisme: (1) La leçon sur parcours en pleine nature ou leçon en trajet continu (hébertisme libre) et (2) la leçon sur espace restreint ou leçon sur "plateau" avec trajet en và-et-vient (hébertisme en piste). CF: *Le guide abrégé du moniteur et de la monitrice,* p.4.

La piste fournit l'occasion de grimper aux arbres, sans entendre les avertissements répétés d'une mère-poule. Le jeune peut s'ébattre à son aise, sous l'oeil vigilant d'un moniteur qualifié. Il est enfin LIBRE. La seule limite apportée à cette liberté absolue, c'est la prudence. Hébert écrivait que *l'obstacle réel surexcite l'esprit, parce qu'il peut y avoir un risque; il faut le vaincre ou se faire mal."*[1]

Il ne faut pas se cacher que l'hébertisme tel que préconisé actuellement dans nos camps d'été et dans nos bases de plein air n'est pas une application littérale de la méthode naturelle d'Hébert. Et c'est bien ainsi.

En effet, la clientèle à qui s'adresse la discipline n'est pas toujours assez mûre pour en saisir toutes les implications. Il ne sera donc pas surprenant de trouver en haut d'un arbre, une cabane qui fera office de bureau pour le spécialiste ! Cette *cabane* inspire le merveilleux et le fantastique dans le jeune cerveau des adeptes. Mais cette *cabane* est à la fois fonctionnelle; elle sera le lieu de repos du spécialiste qui pourra s'y réfugier à l'occasion pour préparer ses leçons !

L'HÉBERTISME LIBRE

L'hébertisme libre, c'est en quelque sorte la mise en oeuvre de l'hébertisme en piste. Sur la piste, le participant évolue en sécurité; il exerce ses capacités sur des appareils à difficulté contrôlée, et peut choisir la station qui présente la difficulté correspondant à ses capacités.

Mais avec l'hébertisme libre, le jeune est en quelque sorte livré à lui-même. Les obstacles qui se présentent, il doit les franchir par ses propres moyens.

Il doit être en mesure de dresser un pont de corde, de hisser une échelle, de franchir un ruisseau en gardant son équilibre sur un billot roulant, etc. En un mot, l'hébertisme libre exige que le participant ait pratiqué l'hébertisme en piste. Ce n'est qu'une occasion de mettre en application ce qu'il a appris sur la piste et de constater ses progrès.

Un autre avantage de l'hébertisme libre c'est qu'il permet de développer chez les participants leur imagination. Tout en courant les bois, on peut imaginer devenir des commandos avec une délicate mission secrète à accomplir. Une telle mission motive les participants à pratiquer des exercices qui autrement leur apparaitraient ennuyeux: on peut ramper dans les herbes, sous les clôtures, traverser des ruisseaux, vaincre les marécages. Quelle occasion magnifique de pratiquer les techniques de la quadrupétie et de camouflage! Les situations imprévues en hébertisme libre sont nombreuses: c'est au spécialiste à les exploiter.

UTILISATION DU POTENTIEL HÉBERTISTE

La production commerciale d'un article répond à une certaine demande de la part du consommateur. L'hébertisme n'échappe pas à ce phénomène; l'industrie a pris conscience de l'utilité de cette discipline, et elle a agi en conséquence.

(1) HÉBERT, *La culture virile par l'action physique,* p. 112

Certains magasins commencent à mettre en vente des reproductions d'appareils hébertistes; ainsi, lors d'une récente visite dans un magasin de jouets, quelle ne fut pas ma surprise d'apercevoir sur les tablettes des *lianes de Tarzan,* des échelles de cordes, et autres appareils confectionnés à base de cordage !

L'intérêt de plus en plus marqué que les producteurs portent à ces *jouets spéciaux* n'est-il pas révélateur ? Ils répondent à une demande ! C'est bon signe; à une certaine époque, seuls les jeunes qui avaient été dans des camps d'été savaient ce qu'était l'hébertisme.

Ainsi, ne soyez pas surpris de voir annoncés à la télévision, un de ces jours, des appareils hébertistes; une fois connus, leur popularité ne cessera de croître !

Les années '70 sont caractérisées par le besoin de loisir, et d'exercice. La fièvre des olympiques contribue aussi à ce regain salutaire d'activité physique. Ainsi, plusieurs domaines bénificieraient grandement de l'hébertisme.

Par exemple, *les parcs nationaux et les parcs provinciaux* qui veulent développer les activités de plein-air (camping, expéditions pédestres, kayak, escalade . . .) auraient avantage à installer une piste d'hébertisme d'aspect avant-gardiste. Situés dans des sites enchanteurs, ces endroits paradisiaques pourraient rapidement devenir l'oasis canadien de cette discipline.

Mais il y a d'autres endroits qui pourraient aussi bénificier d'une installation hébertiste ! Par exemple, les *centres de réhabilitation pour jeunes délinquants;* j'ai déjà mentionné que l'hébertisme ne vise pas uniquement à développer physiquement, mais tend aussi à développer des qualités viriles. L'hébertisme serait pour ces jeunes la meilleure pédagogie de réadaptation. Ils pourraient canaliser leur surplus d'énergie dans une activité tout à la fois vivifiante et formatrice.

Il y a aussi les écoles de réadaptation pour l'enfance exceptionnelle, les pénitenciers, les centres de désintoxication pour alcooliques et narcomanes, les espaces verts de la C.C.N. (Commission de la capitale nationale à Ottawa), les développements résidentiels et communautaires, etc.

Par exemple, dans les *développements communautaires* modernes, on érige des terrains de tennis, des pistes d'équitation, des marinas, des terrains de golf, des lacs artificiels et des piscines, et j'en passe. Dans quel but ces installations sont-elles aménagées ? C'est pour permettre aux résidents de l'endroit de faire de l'exercice d'une façon aussi agréable qu'efficace. N'est-ce pas dans cet esprit que s'inscrit l'hébertisme ?

Quoi de plus agréable, après une exténuante journée au bureau, que d'aller profiter de la nature tout en gardant sa forme sur une piste d'hébertisme. Tous y trouvent leur place: l'homme d'affaires comme la mère de famille.

Plusieurs personnes se rassemblent quotidiennement ou quelques fois par semaine dans des *cours de conditionnement physique.* Ne serait-il pas plus agréable de suivre ces cours dans un endroit bien aménagé et intéressant au lieu d'arpenter sans répit les murs austères d'un gymnase surchauffé ?

Les *endroits de villégiature* (comme les hôtels à la montagne, par exemple) pourraient offrir à leurs clients une piste d'hébertisme bien aménagée en plus du traditionnel court de tennis et de la piscine !

Cette lacune dans le monde actuel du loisir, est due à un manque d'information. Il faudrait y remédier ! (Il ne faut évidemment pas oublier les écoles et les polyvalentes . . .)

Il est navrant de constater que l'éditeur officiel du Québec, dans sa collection "GRAND SOLEIL" publiée en collaboration avec le haut commissariat aux loisirs et aux sports, et qui explique brièvement chaque discipline de plein-air, ait oublié l'hébertisme.

Dix catégories d'exercices forment un tout que l'on appelle HÉBERTISME. Ces exercices fondamentaux sont la *marche,* le *saut,* la *natation,* la *défense,* la *quadrupétie,* la *course,* l'*équilibrisme* le *lancer,* le *lever* (et le porter) et le *grimper.*

Puisque ces exercices sont le fondement même de toute la théorie hébertiste, la piste doit en être un fidèle reflet munie d'appareils simples et fonctionnels.

Un auteur américain spécialisé dans le plein-air écrit à ce sujet:

> *". . . simples things are often the most fun and best loved by children. The most expensive pieces of equipment are often ignored in favor of* **natural and inexpensive things,** *like rail fences and cardboard boxes. Observation of children in the outdoor, when no traditional playground equipment is present, reveals dome of the activities they love best.* **Climbing and walking up on the top of the fences, and stone walls, swinging and hinging from ropes and grape vines, climbing threes and jumping ditches . . ."** (1)

Quoi de plus naturel qu'un enfant grimpant à un arbre, marchant sur des clôtures. À mon avis, c'est là le point fort de l'hébertisme; on n'a pas besoin de forcer l'enfant; on n'a qu'à guider sa démarche et à surveiller sa progression ! N'est-ce pas là un avantage très marqué sur les autres disciplines ?

D'ailleurs, il n'y a rien d'étonnant en cela; la méthode NATURELLE porte bien son nom: c'est à la suite d'une observation attentive de la nature humaine à son état primitif qu'elle fut élaborée par Hébert. Il est allé aux sources pour essayer de redonner à la *culture physique* tout son sens et sa pleine raison d'être. Vu sous cet angle, l'hébertisme participe sainement du retour aux sources prônée par l'école naturaliste de Jean-Jacques Rousseau.

Une autre question qui vient souvent à l'esprit de ceux qui s'initient à la construction d'une piste est de savoir s'il existe un modèle de piste sur lequel on peut se baser, en un mot, une piste d'hébertisme modèle.

Contrairement à d'autres disciplines, l'hébertisme se présente d'une façon très informelle. L'hébertisme se

---

(1) MILLER, P., *Creative outdoor play aeras,* Prentice-Hall, Englewoods Cliffs, N.J., 1972 à la p. 38

pratiquant en nature, il est improbable, de trouver deux sites identiques. Il sera donc impossible de reconstituer deux pistes en tous points semblables . . . .

L'hébertiste qui se rendra sur une autre piste sera assuré à l'avance de ne pas se retrouver dans le même décor. Chaque piste est un nouveau défi, une rencontre avec l'inconnu. La piste d'hébertisme, c'est l'antithèse du *déjà vu:* la monotonie y est étrangère.

Mais attention ! Il ne faudrait pas pousser la diversité à l'extrême ! On doit toujours se souvenir que l'hébertisme est constitué de 10 catégories d'exercices fondamentaux. Il faut donc en tenir compte lors de l'aménagement de la piste. Il sera inévitable de rencontrer des stations-types sur les pistes d'hébertisme: la liane de Tarzan, les poutres d'équilibre, les échelles, pour n'en mentionner que quelques-unes.

L'originalité se situe à un autre niveau: la disposition des appareils, l'aménagement géographique de la piste, le choix des appareils. C'est ici qu'un spécialiste imaginatif et compétent trouve sa place.

LE COÛT D'INSTALLATION

L'aménagement d'une piste d'hébertisme est-il onéreux ? Pour en calculer le coût, il faut tenir compte de plusieurs facteurs. Si la piste est orientée vers l'aspect aérien, faite surtout d'appareils-cordage, le coût pourra varier au gré des hausses dans le prix des câbles. Il vaut mieux se priver de ces appareils si le budget est limité, plutôt que d'employer des vieux câbles. La sécurité d'abord! Il faut d'ailleurs préciser qu'à la fin de chaque saison, les câbles devront être enlevés, et entreposés, car des câbles qui passent un hiver sous la neige deviennent dangereux la saison suivante.

Par contre, la piste peut n'être constituée que d'objets trouvés sur place. Par exemple, des billots, des vieux pneus, etc. Ces appareils ne coûtent que le temps de les installer.

Il est plus avantageux pour un camp de construire une piste d'hébertisme que d'aménager un court de tennis. Le court de tennis qui coûte à peu près le même prix que l'installation d'une piste très complète, ne peut servir qu'à 4 personnes à la fois, alors qu'une piste d'hébertisme bien utilisée peut accomoder jusqu'à 150 enfants par jour, compte tenu évidemment de ses dimensions et du personnel disponible.

Vu sous cet angle, et l'imagination du spécialiste aidant, le coût d'une piste moyenne (15 à 20 appareils) peut s'avérer négligeable, comparé à son potentiel d'utilisation. Il n'est toutefois pas nécessaire d'aménager toute la piste la même année. Habituellement, les grandes pistes ont été construites graduellement, au gré des fonds disponibles et de la créativité des responsables.

AMÉNAGEMENT PHYSIQUE DE LA PISTE

Comment établir le tracé d'une piste ? Une bonne planification s'avère indispensable. Premièrement, il faut inspecter le terrain disponible. La reconnaissance des lieux à la boussole et la fixation du tracé en cochant des arbres me semble être une excellente approche.

Après avoir repéré les lieux de façon sommaire, on peut reprendre le tracé de façon plus minutieuse et plus systématique, en examinant l'emplacement exact des arbres, la distance qui les sépare les uns des autres, leur hauteur, la sorte de bois (certains bois, comme le tremble, pourrissent très rapidement). Cet examen attentif oblige souvent le spécialiste à modifier son tracé original. Il doit déjà avoir en tête les appareils qu'il voudra ériger, avant d'arrêter définitivement son choix sur le tracé de la future piste.

On cherche ensuite les endroits, qui par leur conformité géographique, semblent être les plus aptes à l'installation de tel ou tel appareil; certains appareils, par exemple, nécessitant une plate-forme suspendue, requerront la présence de trois ou quatre arbres rapprochés les uns des autres, et formant un quadrilatère ou un triangle.

Ce deuxième examen du parcours est primordial: on dessine le squelette de la piste. Une fois cette opération menée à terme, le spécialiste devrait savoir exactement où ses stations seront érigées. Mais dans l'établissement de la disposition finale des stations, il ne faut pas oublier le dosage des exercices. Voilà une autre tâche qui demande une préparation adéquate. Il faut disposer les appareils de telle sorte qu'ils tiendront compte de la limite de résistance des participants.

Il ne faut pas oublier, que l'utilisation de certains appareils s'avère dangereuse, selon l'étape de la leçon; par exemple, il est à déconseiller d'évoluer sur des appareils dangereux (poutre à haute altitude, par exemple) lorsqu'on remarque des signes de fatigue.

Il faudra tenir compte de ce facteur dans la disposition des stations; il faudra placer ces appareils *dangereux* aux endroits les plus rapprochés des *débuts de leçon.* Il convient de placer les appareils les plus difficiles au début, pour ensuite terminer la piste par des mouvements exigeant moins d'adresse ou de précision. On pourra toutefois alterner les difficultés si on jouit d'une longue piste aux multiples appareils. La longueur de la piste pourra justifier plusieurs leçons. Par exemple, à la deuxième leçon, on commence au quart de la piste. Il pourra donc y avoir des appareils plus difficiles à cet endroit !

On peut commencer une piste par des poutres d'équilibre, suivies d'un mur, d'échelles de corde, d'un pont de corde, de l'escalade, du kangourou, des pattes d'éléphants, du tunnel et finalement, de la liane de Tarzan. Il faut de plus répartir les catégories d'exercice.

Il est donc aisé de se rendre compte que le tracé d'une piste ne doit pas être fait à la légère. De cette première opération, aussi banale puisse-t-elle paraître, peut dépendre le succès d'une piste ou l'insuccès d'une autre . . .

Maintenant que nous avons examiné les principes généraux pour l'établissement du tracé, il convient d'analyser de façon plus précise l'aménagement des appareils *terrestres.*

La technique qui s'est avérée la plus fructueuse dans ce cas, est celle que je qualifie de *technique de l'environnement.* Elle consiste à inclure l'appareil ou la station dans la nature qui l'entoure. Prenons le cas du KANGOUROU (planche 2.12). Cet exercice peut devenir très ennuyeux s'il est pratiqué dans un espace déboisé et vide, comme une clairière. Par contre, s'il est agencé à la beauté sauvage qui l'entoure, il deviendra vite plus intéressant. Comment procéder ? La planche 13 nous indique que le KANGOUROU doit être disposé en demi-cercle. Ainsi, au lieu de tout déboisé son emplacement, il est facile de ne dégarnir que l'espace nécessaire pour placer les pneus. Ainsi, le centre du demi-cercle conservera le cachet sauvage qui le caractérise. De plus, il sera impossible de voir le trajet d'un bout à l'autre en même temps. On le découvrira graduellement au fur et à mesure de la progression de l'exercice!

On peut faire de même avec les PATTES D'ÉLÉPHANTS. Il arrive souvent de trouver d'énormes roches dans les sentiers. Au lieu de les éviter, il est facile de les utiliser ingénieusement. Il suffit de nettoyer cette roche, de dégager ses abords, et on plantera les pieux qui servent à cet exercice, tout à l'entour de la roche. Pendant qu'un participant fait l'exercice, les autres pourront le regarder tout en étant assis sur la roche.

Il ne faut d'ailleurs jamais oublier qu'une piste propre, bien aménagée est déjà plus invitante qu'un parcours triste et morne qui rappelle les terrains de manoeuvres militaires où tous les appareils nous sautent aux yeux en même temps.

Hébert écrivait d'ailleurs: (1)

"Un champ d'ébats doit constamment être perfectionné dans ses diverses parties, afin d'augmenter le nombre, la variété comme la qualité des installations et d'autre part, **dans le but de le rendre de plus en plus attrayant.** *Plusieurs moyens se présentent pour réaliser ce perfectionnement:*

1. *l'amélioration et l'augmentation des installations matérielles.*
2. **L'embellissement général.**
3. *L'extension progressive de l'ensemble."*

Dans la mesure du possible, il faut incorporer à la piste le petit ruisseau qui serpente près du camp; les plus audacieux tenteront de profiter au maximum du marais que tous évitent !

Il est intéressant de découvrir les stations une à une, de surprise en surprise, découvrant un pont à un carrefour, un tunnel dans une dénivellation, une échelle qui se dresse de nulle part, etc.

C'est dans cette optique que la longueur et la conception de la piste revêt toute son importance. Il est en effet difficile et fastidieux de procéder sur une piste restreinte où les installations sont mal réparties. La piste idéale ne devrait jamais être plus courte qu'un mille de longueur.

De plus, chaque appareil doit être en retrait du sentier, car comme son nom l'indique, ce doit être une

---

(1) HÉBERT, *Les champs d'ébats,* p. 17

station; il doit marquer un temps d'arrêt. C'est pourquoi je ne favorise pas une piste étroite qui serpente dans les fourrés comme un mince filet encombré d'obstacles de tous genres, trop rapprochés et mal agencés. Toutefois, pour les enragés de la course et du chronométrage, il est possible d'aménager une piste secondaire prévue à cet effet et installée en conséquence; ainsi, une piste à obstacle ou une piste de slalom s'inscrira avantageusement dans l'esprit d'un parcours hébertiste.

Les stations en retrait du sentier sont motivées par un souci d'efficacité. Chaque station est aménagée de telle sorte que plusieurs participants puissent y être sans être sur les pieds les uns des autres. Cet espace dégarni qui entoure chaque station doit d'ailleurs être dégagé de tout objet dangereux (par exemple, les roches qui sortent de terre, les racines . . .). L'expérience démontre que le foin est le meilleur amortisseur.

Détrempé par une pluie abondante, il restera humide, et deviendra un bon amortisseur, minimisant ainsi les risques de blessures. Une épaisseur de 8 à 12" de foin est recommandable, soit une balle de foin par appareil.

Pour ce qui est des appareils balançant entre deux ou plusieurs arbres, (comme la liane à Tarzan) il est souhaitable d'entourer les arbres stratégiques d'une bonne épaisseur de foin. Cette précaution permettra d'amortir une secousse éventuelle qui pourrait autrement s'avérer dangereuse.

Ces précautions sont aussi très importantes au point de vue psychologique; en effet, l'enfant peu sûr de lui au départ, reprendra vite confiance en constatant que le risque d'accident est diminué.

Écoutons Normand Malo nous parler des 5 règles pédagogiques à utiliser en hébertisme; elles résument très bien comment doit se faire l'aménagement d'une piste:

> *"L'hébertisme demande une* **CONTINUITÉ** *pour ne pas forcer maladroitement, une* **ALTERNANCE** *pour développer tous les côtés physiques, une* **PROGRESSIVITÉ** *pour ne pas sauter d'étapes de réchauffement musculaire et de résistance physique, un* **DOSAGE** *bien défini en temps de longueur et en travail, et, pour finir, un* **ATTRAIT** *bien particulier pour stimuler l'individu par la variance des activités et pour aussi empêcher toute monotonie."* (1)

Une fois la piste tracée, les appareils installés et le champ d'ébat prêt à fonctionner, il faut ramasser les déchets qui ont été parsemés tout au long de la piste durant sa construction.

Il faut conserver à la piste son cachet naturel, et sa beauté sauvage primitive. Cette opération-nettoyage pourrait s'avérer très pénible s'il fallait empiler toutes ces branches dans un même coin, et les transporter dans un endroit où elles ne serviront pas.

---

(1) *Programme d'hébertisme,* "Les Camps Collinac Inc." 1972, présenté dans le cadre du projet "Tremplin-Jeunesse", à la p.3

C'est à ce stage qu'un appareil nous vient en aide pour faciliter la tâche: le TUNNEL (planche 5.01 et s.). En effet, ces branches mortes peuvent encore servir; on les utilisera pour *couvrir* le tunnel constitué d'une structure primaire qui ressemble à un petit corridor de 1' par 2'. Sur cette charpente de fortune, on empilera toutes les branches mortes.

Le tunnel prendra vite l'allure d'une digue de castor, d'un abri anti-missile, d'une cache pour la chasse au canard, et que sais-je ? L'imagination du participant aura vite fait de lui trouver une ressemblance ! Ce tunnel doit être érigé de façon sécuritaire; la charpente primaire doit être solide, et on doit veiller à ce que les branches avec lesquelles on l'a recouverte ne dépassent pas à l'intérieur du tunnel, ce qui pourrait être fatal pour de jeunes yeux imprudents. Il faut aussi prendre garde aux clous qui ne sont pas bien enfoncés.

Le tunnel doit aussi être assez long, et son parcours doit être agrémenté de courbes, et même de dénivellations si possible. L'intérieur ne doit pas laisser voir le soleil; ce doit être l'obscurité totale. Le jeune apprendra ainsi à évoluer dans le noir.

Encore ici, la technique de l'environnement sera utilisée pour aménager cette station; on ne devrait voir qu'une petite ouverture parmi les broussailles. Ce sera le seul indice matériel (avec l'affiche) qui laissera voir qu'il y a un tunnel à cet endroit . . . Quoi de plus fantastique et de plus exotique ? Le participant entrera dans cette *caverne* à la recherche du mystère et de l'inconnu!

Le tunnel sert à développer la quadrupétie: on y fera ramper les participants. Les techniques de *rampement* pourront être modifiées selon les goûts. On pourra ramper sur le ventre (en s'aidant des coudes et des genous) tout en tenant un court bâton dans les mains, ramper sur le dos, sur les côtés.

Cet exercice sera peut-être la seule occasion qu'aura le jeune de vraiment s'initier à des techniques peu usitées dans la vie urbaine . . .

IDENTIFICATION ET SÉCURITÉ

Identification

L'attirance d'une piste est importante. Après l'avoir déblayée, on peut passer un râteau pour vraiment donner à cet aire de détente, un aspect attrayant. Puis, il faut aller un peu plus loin.

Sur une piste, plus elle est longue, plus la signalisation est importante. Elle doit se présenter sous un jour agréable; chaque appareil devra être identifié à l'aide d'une affiche (petite planche de bois, avec lettrage noir sur fond rouge, par exemple) qui est fixée près de la station. On peut utiliser les noms suggérés en annexe comme base de l'identification. Ils ont été choisis de telle sorte, qu'à leur seule lecture, l'enfant a immédiatement une idée du mouvement à accomplir. (Par exemple, le Kangourou, planche 2.12 que peut-on trouver de mieux pour suggérer l'exercice?)

Les sentiers doivent aussi être assortis de noms évocateurs et exotiques (par exemple, le safari, sentier de brousse. . . etc.). En plus de favoriser la belle apparence de la piste, cette identification permettra de se retrouver. Si on se fixe rendez-vous aux *PATTES D'ÉLÉPHANTS,* on saura où aller.

Il faut aussi penser à présenter l'entrée de la piste d'une façon invitante. Quoi de plus majestueux qu'une arche de bois se dégageant du décor sauvage de la forêt, à laquelle est suspendue une imposante affiche sur laquelle on peut lire: *PISTE D'HÉBERTISME* ou *CHAMP D'ÉBATS?* (voir page 79)

On pourra, à l'entrée, suspendre un plan de la piste, indiquant la disposition des appareils, et leur nom.

Sécurité

Il ne faut pas oublier la sécurité sur la piste; les appareils doivent être bien construits.

Tout comme une plage, l'entrée de la piste sera munie d'un mât avec un drapeau qui indique si la piste est en bon état ou non, si le spécialiste est présent ou non. Par exemple, un drapeau rouge hissé signifie "danger"; la piste est formellement interdite. Par contre, si le drapeau jaune est au haut du mât, seuls les appareils aériens peuvent être utilisés. Après une pluie abondante, les appareils de bois (poutres d'équilibre,) sont à déconseiller. Si c'est le drapeau vert qui flotte, la voie est libre et sûre; les appareils sont en bon état, et le spécialiste est sur place.

"The course entrance should also be equipped with a flagpole and a flagg, similar to the waterfront, in order to indicate when the course is open. Campers should only be permitted on the course when there is supervision". (1)

Quant aux amortisseurs, j'ai parlé du foin détrempé. Il est toutefois sage de recouvrir le sentier lui-même d'une épaisse couche de bran de scie (6 à 8 po.). Les racines dangereuses et les roches glissantes seront ainsi dissimulées, le parcours sera plus invitant, et plus important encore, les blessures aux chevilles se feront plus rares. Il faut remarquer que la course dans le bois nécessite une adaptation spéciale, car la surface n'est pas aussi unie qu'en gymnase ou que sur une piste d'atlhétisme ! Cette mesure supplémentaire de sécurité sera certes bienvenue.

Au sujet du type de piste à utiliser, deux conceptions s'affrontent: certains favorisent la piste circulaire où le point d'arrivée est le même que le point de départ, alors que d'autres vantent les mérites du parcours à entrée et sortie distinctes, (ou piste droite).

Chaque conception a ses mérites. C'est le genre de terrain disponible qui dictera la conduite à suivre. En général, il est plus intéressant de profiter d'une piste droite. On n'a pas à revenir sur ses pas ! De plus, la piste circulaire encourage la fâcheuse manie du parcours chronométré, (autant sur les appareils que dans le sen-

---

(1) MINGIE, W, *Op. -Cit.*, à la p. 14

tier) qui peut être dangereux pour les ambitieux; on oubliera les notions de sécurité les plus élémentaires en voulant gagner à tout prix !

LES OUBLIS TRADITIONNELS

Comme je l'ai déjà mentionné, l'hébertisme comprend 10 catégories d'exercices fondamentaux. Mais malheureusement, on ne s'attache habituellement qu'aux plus connus et aux plus spectaculaires, tout en laissant de côté certains mouvements fondamentaux.

Les exercices les plus souvent oubliés sont le *lever,* le *porter,* le *lancer,* la *défense* et la *natation.* Pourtant, ces mouvements font partie de la discipline au même titre que les autres. Mais ils sont moins connus, et moins attrayants.

Évidemment, dans un camp d'été ou une base de plein-air, la *natation* fait habituellement l'objet d'une activité particulière. Il est plus compréhensible dans ce cas que l'hébertisme n'ait pas à s'en occuper; toutefois, il est recommandé de compléter une leçon d'hébertiste en envoyant les jeunes à la baignade, même si cette activité est du ressort d'un autre spécialiste, le maître-nageur.

Il en est de même de la *défense* dans certains camps spécialisés en *judo* ou en *karaté*. Mais c'est l'exception. La défense nécessite du spécialiste des connaissances qui peuvent dépasser la compétence qu'on est en droit de s'attendre de lui; il ne serait toutefois pas superflu d'enseigner aux jeunes quelques mouvements de base, ne serait-ce que pour aiguiser leurs réflexes !

Mais il reste trois exercices pour lesquels on n'a pas d'excuse: le *lever,* le *porter* et le *lancer* sont trois catégories d'exercice qui ne demandent aucune installation: Il suffit d'avoir sous la main un billot, quelques pierres, des boîtes de conserves vides et le tout est joué !

Pour le *lancer* , il est facile de construire une cible, à l'aide de balles de foin, par exemple. Plus facile encore, on utilise des boîtes de conserves que l'on place bien en vue; on peut modifier le jeu en utilisant une cible qui bouge, (fixée à une branche à l'aide d'un bout de corde.) On utilisera des pierres comme projectiles. Le but de cet exercice est de favoriser la coordination des mouvements; on exigera du participant qu'il lance du côté opposé à son côté naturel: le droitier lancera de la main gauche, et le gaucher, de la main droite.

En ce qui concerne le *lever et le porter,* il suffit d'utiliser un billot que les participants transporteront sur leurs épaules. On peut former des équipes de deux, et à tour de rôle, chacun transporte l'autre sur ses épaules. Quelle meilleure préparation pour le secourisme ! Le moniteur prendra soin d'indiquer la façon de transporter son compagnon, comme s'il était un blessé.

On peut ajouter à ces exercices, une station qui peut plaire aux plus jeunes, tout en développant leur rapidité de pensée et qui les aidera à accélérer leur prise de décision: on peut disposer des vieux pneus sur le sol, un peu comme pour le KANGOUROU. On prendra soin de les peinturer. Dans les pneus jaunes, les campeurs doivent sauter *à pieds joints* dans les pneus verts, on ne saute que sur *le pied gauche* et dans les pneus rouges, on saute sur *le pied droit.*

Une variante de cet exercice peut être adaptée à un parcours *en slalom.* Ainsi, si un arbre porte une rondelle rouge, on devra faire un cercle complet autour de l'arbre avant de continuer, s'il arbore une rondelle bleue, on devra passer à la gauche de cet arbre et si c'est une rondelle jaune, le passage devra s'effectuer à la droite. On peut aménager un tel parcours sur une distance d'environ 500 pieds que les participants franchiront à la course.

Ces deux derniers exercices sont aussi formateurs qu'amusants. Ils favorisent la concentration, les réflexes, et comme je le mentionnais, la rapidité d'action. Pour évaluer la progression, on comptera le nombre d'erreurs dans chaque cas, et celui qui aura conservé le meilleur total sera vainqueur. On peut aussi combiner cette méthode d'évaluation avec la rapidité d'exécution . . .

LE PLATEAU

À mi-chemin entre l'entrée et la sortie de la piste, on retrouve le plateau. Il s'agit d'un endroit vaste et planche, bien dégagé. Il s'agit d'une petite clairière au centre de la piste.

Cet endroit peut servir de lieu de *rassemblement;* on peut aussi profiter de cet espace pour pratiquer des exercices plus traditionnels; les jeunes pourront faire de la course sur place, des *push-ups,* des *sit-ups,* etc. Il est aussi possible d'aménager une aire de saut, pour le saut en longueur, en hauteur, le triple-saut, le saut à pieds-joints, etc. On utilisera du sable pour couvrir les racines ou autres objets dangereux.

Le plateau est en quelque sorte un terrain de jeu au milieu du parcours, un "champ d'ébats". On peut entourer ce grand espace de certains appareils comme par exemple, les différentes sortes d'échelles.

On peut mettre sur le plateau une grande armoire de bois où on pourra y entreposer tout le matériel nécessaire aux réparations urgentes des appareils et à l'entretien quotidien de la piste: un marteau, de la corde, des clous, un ou plusieurs râteaux, une pelle, une hache, etc.

Dans une autre section de l'armoire, on pourra ranger certains instruments hébertistes. Par exemple, un câble (1 po. de diamètre) avec un mouchoir fixé au milieu qui servira pour la *souque à la corde,* des témoins (des bâtons) pour la course à relai, des échâsses, etc.

Comme on le constate, le plateau marque un temps d'arrêt. Les jeunes pourront y respirer l'air pur; ils se sentiront dégagés, et pourront reprendre leurs forces. Il est à noter aussi que dans un endroit plus ouvert comme celui-là, les moustiques sont moins nombreux!

LES ROUTINES

En gymnastique, la routine est une succession de

mouvements formant un tout, alors qu'en hébertisme, la routine est une succession d'appareils formant en soi un autre appareil.

Il est recommandé de se servir de la routine comme récapitulation. Il est agréable de terminer la leçon en un endroit où on revise les mouvements qui viennent d'être appris.

Si on opte pour la routine post-leçon (une après chaque leçon) elle comprendra les mouvements appris ce jour. Mais si on préfère la routine terminale (une seule routine à la fin de la piste), alors elle sera susceptible de plus de variété. Mais l'une n'exclut pas l'autre. . .

La meilleure combinaison pour les routines est celle qui consiste à utiliser des appareils-cordages et des poutres. On peut préférer une routine constituée de câbles. (À cet effet, on peut référer à une brochure très bien faite: PIEH, B, *Ropes Course Guide,* MacArthur College of Education at Queen's University, Kingston, Ont. *"Open Country Planning Air".*)

Ce pourra même être une routine strictement aérienne: on ne touche nullement à terre pendant l'exécution de la routine.

Une routine intéressante, serait celle construite comme un navire. [1] Hébert n'était-il pas officier de marine ? On pourrait d'ailleurs baptiser cette routine d'après le nom du vaisseau d'Hébert: LE SUCHET . . . Les contours de cette routine seraient constitués de poutres d'équilibre empruntant la forme d'un navire. À l'intérieur, on regrouperait des appareils particuliers à la vie maritime. Par exemple, au centre pourrait se dresser le GRAND MÂT (planche 10.40) qui serait confectionné suivant le principe de la TOILE D'ARAIGNÉE. Autour de cet appareil, on pourrait faire graviter divers appareils rappelant la vie en haute-mer. (Câbles, échelles de cordes, toile d'araignée, pont de corde, etc.)

(On peut d'ailleurs avoir un léger aperçu de ce que peut être une routine, en examinant la planche 10.43.)

L'UTILISATION DES CÂBLES (2)

Peu de gens sont rompus à la pratique d'exercices nécessitant un emploi exhaustif de câbles. Il est d'autant plus important de bien maîtriser la technique des câbles qu'elle évitera plusieurs accidents aussi malheureux que douloureux — (par exemple, les mains brûlées par une friction trop vive.)

Lorsque le participant utilise un câble, il doit toujours se garder un espace de réchappe. Il prendra soin d'enrouler le câble autour de lui, au moins un tour. Ainsi, si la prise des mains cédait le participant aurait quelques secondes pour se replacer. Évidemment, cette technique ne s'applique que lorsque le câble est lisse et libre, qu'il n'est retenu qu'à une seule extrémité. (C'est le cas de l'escalade par exemple ou de la descente de rocher avec câble lisse). Il ne faut jamais descendre trop vite . . .

---

(1) Un vieux voilier abandonné, constituerait un site exceptionnel pour une piste d'hébertisme. On y retrouve toutes les possibilités de pratiquer les exercices fondamentaux.(cordages-équilibre-saut-grimper-etc)

(2) Pour un examen des sortes de câbles, voir appendice II, pp. 219 ss.

Il est opportun de préciser aussi la prise à adopter pour les mains. On ne devrait jamais placer les deux mains du même côté. Une main sera placée la paume en haut, alors que l'autre sera à l'opposé. Pour déplacer les mains sur le câble, il ne faut jamais lâcher prise; on déplacera lentement la main (une à la fois), en prenant soin de ne jamais relâcher totalement son emprise sur le câble. On ne fera que desserrer la prise, et on glissera la main un peu plus loin. Ainsi, la réchappe est plus facile. (Cette méthode est surtout recommandée pour ceux qui évoluent sur les câbles parallèles ou symétriques.) Pour ce qui est des pieds (particulièrement sur les câbles parallèles), on suivra le même principe. On veillera à ce que le pied, lors du déplacement, ne quitte jamais le câble.

Le câble doit être placé au milieu du pied et pour le déplacer, on le glissera lentement sur le câble. Ainsi, l'équilibre est plus facile à conserver. Il faut préciser aussi, qu'il ne faut toujours bouger qu'un pied à la fois.

Une bonne utilisation des câbles rend les leçons intéressantes, et surtout, plus sécuritaires. Les techniques ne s'oublient plus, quand elles ont été bien apprises, et elles pourront servir dans des circonstances les plus diverses.

LA MAIN D'OEUVRE

La construction d'une piste est une tâche ardue pour un seul homme; il faut de l'aide. (Certains appareils sont d'ailleurs impossibles à installer seul.)

Certains camps favorisent la main d'oeuvre des campeurs. Évidemment, il est bon que les campeurs participent à la construction de leur piste, mais certaines précisions s'imposent. Personnellement, je suis d'avis que les campeurs ne devrait pas participer au début de la construction d'une piste. Cette tâche ingrate ne devrait pas leur incomber. Par contre, il est bon de les faire participer à l'AMÉLIORATION et à l'agrandissement de la piste. Ils sont ainsi plus motivés, et ils prennent plus facilement conscience de leur apport.

On peut demander les suggestions des campeurs; c'est de cette façon que le moniteur en apprend le plus . . . Les campeurs peuvent acquérir par ces *leçons de construction* les rudiments de l'installation d'un parcours. Ils pourront ensuite chez-eux installer quelques appareils qu'ils pourront fabriquer eux-mêmes ce qui fera sans doute l'envie du voisinage!

DEVISE: "ÊTRE FORT POUR ÊTRE UTILE."

Cette devise est celle qu'Hébert préconisait; elle devrait être connue de tous les hébertistes, et surtout des spécialistes. Elle reflète bien l'esprit dans lequel la discipline doit être pratiquée, et elle synthétise d'une façon très succinte, les buts et fondements de l'hébertisme.

Cette devise devrait donc avoir une place de choix dans tout champ d'ébats.

"Sois fort pour être utile
Sois sobre pour être sain

En forgeant ton corps, forge-toi une âme virile,
Cultive ton énergie par l'effort volontaire
Cultive ta volonté en te fixant un but

Fais ce que tu dois avant de faire ce que tu veux
Applique-toi, dédaigne l'à peu près ou le bâclage
Aime et recherche le beau, le bien, le sain, l'utile

Si tu veux donner, agis; si tu veux t'élever, étudie
Ne te laisse pas aller. Crains de t'arrêter.

Accepte la règle pour le bien de tous
Rends service volontiers
Sois poli pour être sociable
Ne gêne pas autrui
Respecte tes ainês." (1)

À la lecture de ces quelques lignes, on se rend compte qu'il s'agit bien plus qu'une devise; c'est une leçon de vie qui miroite fidèlement les objectifs profonds de cette discipline. On devrait l'arborer en GROS CARACTÈRES sur le parcours hébertiste !

Conclusion

L'aménagement de la piste et son entretien ne doivent pas être pris à la légère; on voit la nécessité d'un spécialiste qui veillera *continuellement* au bon état des appareils. De plus, l'aspect paysagiste de la piste n'est pas à négliger. (technique de l'environnement)

Un spécialiste conciencieux pourra réaliser un petit chef-d'oeuvre de piste. Des appareils habilement construits et audacieux ne manquent pas d'attirer l'attention, et aident à faire connaître la piste en même temps que la discipline. En effet, si un visiteur est frappé par une piste, il en parlera à d'autres; et ainsi, l'hébertisme sera plus connu et mieux apprécié.

Peut-être que dans un avenir rapporché. certaines personnes ou organismes penseront à décerner un prix à la meilleure piste, celle qui sera la mieux aménagée, tout en étant la plus fonctionnelle. Le prix pourrait être en argent et servirait à améliorer les installations existantes. Ce serait là une excellente initiative pour la FUTURE fédération provinciale d'hébertisme. (L'hébertisme est, à l'heure actuelle, une des seules disciplines de plein-air qui ne possède pas sa fédération.)

Par certains subsides, on pourrait, améliorer la qualité des pistes existantes, et favoriser la création de nouvelles. Avec une fédération provinciale, on pourrait regrouper les spécialistes, et leur prodiguer un enseignement uniforme. Le niveau d'excellence de la discipline en serait d'autant amélioré !

Cette fédération pourrait aussi colliger tous les ouvrages et articles parus au Québec et à travers le monde sur l'hébertisme. (2)

Il faut aussi remarquer, que la majorité des camps qui ont inscrit l'hébertisme à leur programme possèdent souvent des informations (photos, brochures, docu-

(1) HÉBERT, *Les champs d'ébats,* p. 112

(2) Pour le rôle de la future fédération, voir mon article *"Les joies de l'hébertisme"* dans Perspectives du Dimanche-Matin, 6 juin 1976, Vol. 8 no. 23 pp. 8 et ss.

ments . . .) qui seraient un atout précieux pour la Fédération. Elle pourrait ainsi mieux évaluer ce qui se fait et le faire connaître aux autres. Elle deviendrait pour ainsi dire, une banque de renseignements en hébertisme.

ADDENDA: QUELQUES PRÉCISIONS UTILES

L'échelle de corde (planche 10.03)

La fabrication de l'échelle est simple. Premièrement, on prend deux câbles (1 po. de diamètre) de longueur égale que l'on place sur le sol en parallèle. (On taillera ces deux bouts de câble selon la longueur que l'on veut donner à l'échelle.)

On taille plusieurs rondins d'une longueur de 12 à 18 po. chacun. À chaque extrémité du rondin, on fait une entaille en forme de "V". Puis, on place les rondins sur le sol, entre les deux câbles, en prenant soin de choisir la distance appropriée entre chacun d'eux.

Maintenant, il faut fixer les rondins aux câbles. On sait que les câbles sont habituellement confectionnés de trois cordes qui ont été tressées ensemble. Il faudra donc "détresser" le câble à l'endroit où il faut insérer l'extrémité du rondin. Il suffit qu'il y ait une ouverture assez grande pour y faire pénétrer le rondin. Puis, le rondin en place, on lâche la prise, et le câble reprend immédiatement sa position originale en se refermant sur le rondin. Il est préférable de commencer par le haut et de descendre et de maintenir les deux câbles continuellement en extension (sauf lorsqu'on le "détresse") pour que les rondins soient posés d'une façon symétrique. Il faut aussi laisser assez long de câble à une des extrémités pour pouvoir fixer l'échelle à un arbre !

Il est bon d'enrouler du ruban adhésif aux extrémités des câbles, pour éviter qu'ils s'"éfilochent" ainsi que les bouts des rondins.

La toile d'araignée (planche 10.39)

La toile d'araignée est un grand filet. On l'installe entre deux arbres rapprochés. On fixe deux billots entre ces deux arbres, à l'horizontal. Le premier sera fixé à environ 1 pied du sol, l'autre à 8 ou 10 pieds. On obtient ainsi un quadrilatère entre deux arbres.

Puis, on attache des câbles (1 po. de diamètre) à la barre horizontale la plus élevée. On les distance de 6 po. chacun, en prenant soin de ne pas les fixer à l'autre extrémité. Puis, on prend d'autres câbles, plus petits, (½ po. de diamètre) et on les attache à un des deux arbres, à environ 6 po. de distance les uns des autres, sans fixer l'autre extrémité.

On glisse les câbles horizontaux dans les câbles verticaux (de la même manière que pour les rondins de l'échelle), en prenant soin de faire un noeud à chaque fois, jusqu'à ce qu'on les ait tous enfilés. (Il est à noter que le câble horizontal doit être plus long,, car les nombreux noeuds qui doivent être faits réduisent sa longueur.) On enfile le premier câble horizontal, et une fois qu'il est entièrement enfilé, on le fixe à l'autre arbre. Et ainsi de suite. Lorsque tous les câbles horizontaux ont été fixés, on fixe l'autre extrémité (celle du bas) des câbles verticaux, à la barre horizontale du bas, et le tour est joué. On a réalisé sans trop de difficultés, la toile d'araignée.

Pour construire le MÂT (planche 10.40), c'est le même principe, sauf que les mesures sont différentes, la base étant très large, et le sommet très étroit.

Grâce à cette technique, on peut aussi construire de vraies échelles de corde en remplaçant les rondins par des câbles plus petits (½ po. de diamètre). (Voir planche 10.03).

On peut aussi, selon le même principe, construire un DAMIER. Il s'agit d'un filet (plus long que large) que l'on installe à 1 pied du sol. L'exercice consiste à courir, en prenant soin de placer le pied dans chaque carreau. Un bon exercice pour lever les genous, vite et haut.

V·L'HÉBERTISME: UNE APPROCHE LÉGALE*

Toute personne qui commet une faute, engage sa responsabilité. En hébertisme, quand le moniteur commet-il une faute génératrice de responsabilité ? Les tribunaux n'ont pas eu l'occasion de vider cette question; toutefois, ils se sont prononcés à différentes reprises sur la responsabilité des commissions scolaires dans la pratique des sports.

Les principes généraux de responsabilité qui s'appliquent à l'instituteur s'appliquent aussi au moniteur responsable d'une piste d'hébertisme [1] [2]

L'obligation de sécurité [3]

La responsabilité civile origine exclusivement de deux sources. Elle peut être soit délictuelle (résultant d'un délit ou d'un quasi-délit), c'est-à-dire qu'elle découle d'une faute en dehors de tout contrat, ou soit contractuelle auquel cas elle résulte de la violation d'une obligation du contrat.

Sur le plan contractuel, la responsabilité nait d'une obligation de sécurité qui résulte du contrat qu'a conclu le camp avec les parents des enfants dont il a la garde; mais de toute façon, que l'on reconnaisse ou non l'obligation de sécurité, la responsabilité sera la même. En effet, la seule différence se retrouvera au niveau du fardeau de la preuve, car dès qu'il y a faute, il y a responsabilité. Pour qu'il y ait responsabilité, il faut une faute, un dommage et un lien de causalité entre la faute et le dommage.

(1) Sauf que la présomption de l'article 1054c.c. ne s'applique pas aux moniteurs contrairement aux instituteurs. C'est l'article 1053 du code civil qui régit cette question: par Tachereau, dans *GRIECO v EXTERNAT CLASSIQUE STE CROIX,* 1962 RCS 519, commenté par SAZANT dans (1964) 10 McGill L.J. 183.

(2) CF: Mayrand, *TENTATIVE DE RÉCUPÉRER UNE PARTIE DE* LA JURISPRUDENCE OCCULTE, (1972) 3 R.D.U.S. 81. JOYAL—POUPART, Renée, *L'ACCIDENT SPORTIF: FONDEMENT DU RECOURS DE LA VICTIME,* (1970) 1 R. J. Thémis 143

(3) LEDUC, *La responsabilité civile de l'école en matière d'éducation sportive,* (1973) 33 RduB 453

* La jurisprudence contenue dans le texte est compilée jusqu'en 1974.

Obligation de moyens[1]

Il existe toujours un contrat (qu'il soit verbal ou écrit) entre le camp et les parents. Le camp s'engage à garder l'enfant, le loger, le nourrir, l'amuser, le protéger pendant une certaine période de temps. Mais quelle est l'étendue exacte de l'obligation du camp ? Il semble que le camp contracte une obligation de sécurité (même si elle n'est pas expresse, elle est au moins implicite et elle découle de la nature du contrat selon l'article 1024 du code civil) qui en soit une de moyens.

L'obligation de résultat est celle où le débiteur de l'obligation se doit de remettre l'enfant à ses parents dans le même état qu'il l'a reçu. S'il ne le fait pas, il est présumé fautif et doit s'exonérer en prouvant cas fortuit ou force majeure. L'obligation de moyens est celle où le débiteur s'engage à prendre tous les moyens raisonnables pour atteindre le résultat voulu, soit remettre l'enfant en bon état. Dans ce dernier cas, pour que sa responsabilité soit retenue, le demandeur, créancier de l'obligation (habituellement les parents) doit établir et prouver une faute positive de la part du débiteur.

On se rend compte que la seule différence entre ces deux sortes d'obligations réside au niveau du fardeau de la preuve. Dans le cas de l'obligation de résultat, le fardeau de la preuve repose sur le camp et dans le camp de l'obligation de moyens, c'est le demandeur qui a le fardeau de la preuve. Mais quelle est l'obligation du camp ? Il semble que le camp n'ait qu'une obligation de moyens, i.e. qu'il doit prendre toutes les mesures raisonnables pour assurer la sécurité de l'enfant qui lui a été confié.

Me Crépeau [2] écrit que "l'on ne saurait en effet, comme le faisait remarquer le juge Tachereau de la Cour suprême du Canada dans l'affaire *GRIECO v EXTERNAT CLASSIQUE STE CROIX,* [3] imposer au débiteur (le camp) l'obligation de rendre l'enfant dans l'état où il l'a reçu". (i.e. qu'on ne peut pas lui imposer une obligation de résultat).

Ici encore, le critère de l'aléa du résultat nous pousse à ne lui imposer (au camp) qu'une obligation de moyens ou de diligence. [4]

Ainsi, dans le cas d'une obligation de moyens, s'il y a accident, le camp est présumé avoir pris toutes les mesures raisonnables pour assurer la sécurité de l'enfant. Le demandeur (les parents) doit prouver qu'il y a une faute de la part du camp. S'il réussit dans sa preuve, alors le camp peut être tenu responsable; en cas contraire, le camp est exonéré de tout blâme; le fardeau de la preuve repose donc sur le demandeur comme l'écrit Crépeau: [5]

(1) CRÉPEAU, *Des régimes contractuels et délectuels de responsabilité civile en droit civil canadien,* (1962) 22 R du B 501

(2) CRÉPEAU, *Le contenu obligationnel du contrat,* (1945) 43 Can Bar Rev 1 à la p. 45.

(3) *Op. Cit.,* note 1, p. 51.

(4) *VALLÉE v ROBERTSON,* (1941) 79 CS 203; voir aussi: S. GOLDSMITH, *L'obligation de sécurité,* Besançon, Thèse, 1947.

(5) CRÉPEAU, Op. Cit., note 2 à la p. 40

"Parfois, en effet, l'intensité de l'obligation de sécurité ne sera que celle d'une obligation de diligence. Le débiteur de sécurité déclarent MM Mazeaud et Tunc (1) peut d'abord s'être engagé à faire seulement ce que commande la prudence et la diligence pour éviter les accidents. Il s'agit alors de l'obligation générale de prudence et de diligence. Dans ces cas, le débiteur contractuel ou extra-contractuel de sécurité doit, pour pourvoir à la sécurité des personnes ou des biens confiés à lui, agir en bon père de famille (2) et sa responsabilité ne sera retenue que si le demandeur rapporte la preuve de négligence, de faute."

La Faute

La faute est assimilée à la négligence et à l'imprudence. Dans l'affaire *L'OEUVRE DES TERRAINS DE JEUX DE QUÉBEC v CANNON,* (3) le juge Rivard de la cour d'appel du Québec écrit que "le plus sûr critère de la faute, dans des conditions données, c'est le défaut de cette prudence et de cette attention du bon père de famille; en d'autres termes, c'est l'absence des soins ordinaires qu'un homme diligent devrait fournir dans les mêmes conditions. Or, cette somme de soins varie suivant les circonstances toujours diverses de temps, de lieu et de personnes".

Dans cette même cause, le juge Létourneau, en examinant la responsabilité dans la chute d'un enfant, écrit "qu'il convient de rechercher si cette chute dont a souffert l'enfant de la demanderesse se rattache au fait illicite, à l'imprudence, négligence ou inhabileté de la défenderesse." La faute peut donc se rapprocher d'un écart à la conduite qu'aurait eu un moniteur expérimenté et compétent dans des circonstances identiques. En effet, "on est en faute lorsqu'on n'a pas agi comme on devait le faire". (4)

Il ne saurait y avoir de responsabilité sans faute, laquelle "réside *dans l'acte de l'homme et non dans les effets de cet acte,* qui peuvent la révéler mais non la constituer et l'on ne saurait soutenir qu'un même acte sera fautif ou non selon qu'il aura ou non produit des conséquences dont il comportait inévitablement le risque." (5)

---

(1) MAZEAUD et TUNC, *Traité théorique et pratique de la responsabilité civile,* (5 ième éd.) 1957, T-1 no 151, p. 191.

(2) La notion de bon père de famille est un critère plus ou moins objectif de prudence et de soin raisonnable; est-ce qu'un homme normalement prudent aurait agi ainsi dans les mêmes circonstances?

(3) (1940) 69 BR 112; voir aussi: *MERCIER v MORIN,* (1892) 1 BR 85; *CHAMPAGNE v LA CIE DES CHARS URBAINS DE MONTRÉAL,* (1909) 35 CS 507 à la p. 512.

(4) DRURY v LAMBERT, 71 BR 336; de façon générale, voir: JOYAL-POUPART, *L'accident sportif: Fondement du recours de la victime,* (1970) 1 R.J. Thémis 143.

(5) HUSSON, *Les transformations de la responsabilité,* p. 142, cité par S. MATHIEU, *Les loisirs du 20 ième siècle: nouvel horizon pour la responsabilité civile,* (1962) 12 TH 190 à la p. 194.

Pour qu'il y ait responsabilité, comme je l'ai déjà mentionné, il faut trois éléments précis: une faute, un dommage, et un lien de causalité entre cette faute et ce dommage. Lorsque Savatier (1) esplique d'où origine la faute de l'organisateur de loisirs, il explique du même coup l'origine de la faute du moniteur responsable de la piste d'hébertisme:

> *"Si de manière générale, la faute de l'organisateur (de loisirs) ne doit pas se présumer en droit, au cas d'accident, elle résulte pourtant du simple fait qu'il n'a pas pris un certain nombre de précautions. Ainsi, il doit s'assurer chez les participants des qualités requises pour que l'épreuve puisse se dérouler sans danger."*

On se rend donc compte que la faute du moniteur peut consister en certaines omissions de sa part, comme la non-vérification des installations sur la piste, oubli de donner les directives appropriées, manque de surveillance, etc. Ces omissions génératrices de responsabilité découlent souvent de l'inexpérience et de l'ignorance du moniteur, d'où l'importance d'avoir sur la piste un moniteur qualifié et responsable.

Voici à cet effet, une dissidence très révélatrice du juge Barclay dans l'affaire *BISSON v LES COMMISSAIRES D'ÉCOLE DE LA MUNICIPALITÉ DE ST-GEORGES DE WINDSOR;* (2)

> *"This lack of supervision, and the total failure to take any precautions whatsoever to prevent the children from continuing to play with these "pétards" must I think, be attributed in a linge mesure to the extreme youth and lack of any experience on the part of this young girl placed in a position for which she was obviously not qualified, and the responsability for that situation rests with the defendants more than with the young girl herself."*

On se rend donc compte que la faute peut revêtir plusieurs formes. Elle peut donc être constituée de tout écart à une conduite normale et raisonnable. Il ne faut pas oublier que "ce n'est pas le danger lui-même qui est générateur de responsabilité, mais la façon fautive dont on a pu y exposer la victime". (3)

L'acceptation des risques

"L'acceptation des risques est en général une fin de non-recevoir à une action en dommages-intérêts pour les dangers normaux et prévisibles du jeu." (4) Cette

---

(1) SAVATIER, *Traité de responsabilité civile,* 1951, T-2, p. 471

(2) 1950 BR 775 à la p. 787

(3) *ALLARD v COMMISSION SCOLAIRE RÉGIONALE LANAUDIÈRE ET AMYOT,* non rapportée, CS Joliette, no. 20150, juge P. Langlois, le 20 juin 1968; voir aussi HONORAT, *L'idée d'acceptation des risques dans la responsabilité civile,* Paris, 1969.

(4) LALOU, *Traité pratique de la responsabilité civile,* 1962, no. 344. p. 250

doctrine est aussi désignée sous le vocable *volenti non fit injuria* (1). Elle n'a d'intérêt que dans la mesure où le défendeur (le camp ou le moniteur lui-même) n'a pas commis de faute.

Il s'agit donc du fait pour le participant à une discipline, d'accepter de faire un exercice en pleine connaissance des dangers et risques de cette activité particulière.

On sait que le fait de s'adonner à certains sports implique des dangers inhérents. Savatier (2) écrit que "l'exercice des sports n'allant pas sans certains dangers inhérents, il faut admettre que ceux qui participent à une activité sportive acceptent ces dangers dans toute la mesure où ils sont impliqués dans l'exercice même du sport. L'acceptation, par des participants, des dangers inhérents à l'activité sportive n'exclut pas seulement pour cette activité, normalement conduite, tout caractère fautif; elle écarte également la responsabilité fondée sur les risques qui ne se présentent que comme une condition nécessaire à cette activité. (3)

Du côté anglais, Halsbury (4) écrit que "a person engaged in playing a lawful game takes on himself the risk indidental to being a player and has no remedy by action for the injuries received in the course of the game, unless they be due to some unfair act or foulplay".

Ainsi, lorsque certaines personnes s'adonnent VOLONTAIREMENT à un sport qu'ils savent dangereux, ils acceptent de ce fait, les risques inhérents à ce sport. Sir François Lemieux, alors juge en chef de la cour supérieure résumait bien cette doctrine dans l'affaire *LABADIE v LA CITÉ DE QUÉBEC*. (5)

"Celui qui se livre à un exercice ou à un amusement qui offre risque ou danger, n'a pas de recours contre celui qui procure tel exercice ou tient tels lieux de récréation ou d'amusement, à moins que ce dernier n'ait commis une faute."

Dans l'affaire *DANCOSE v MANOIR ST-CASTIN INC.* (6) le juge Boulanger, en parlant de ceux qui pratiquent des sports dangereux écrit:

---

(1) *C.P.R. v FRÉCHETTE,* (1915) 24 BR 459; *SHARP CONSTRUCTION v BÉGIN,* (1950) 59 RCS 680; *LACOMBE v POWER,* 1928 RCS 409; *ROBERTS & THOMPSON v HAWKINS,* (1898-99) 29 RCS 218; *LETANG v THE OTTAWA ELECTRIC RY. CO.,* (1926) 41 BR 312.
Cette expression latine signifie: Ce à quoi une personne a consenti ne peut être considéré comme lui portant préjudice.

(2) SAVATIER, *Traité de responsabilité civile en droit français,* T-II, 1939, no. 854 p. 483 et no. 856 p. 485.

(3) *LAVALLÉE v LES COMMISSAIRES D'ÉCOLE POUR LA MUNICIPALITÉ DE ST-GERMAIN DE GRANTHAM,* 1965 BR 463, commenté par PERREAULT, à (1965) 25 R du B 621.

(4) HALSBURY, *Laws of England,* (3e éd. T-28, 1959 no 89 p.84

(5) (1923) 61 CS 119; CF: *HENESSY v PARK TOBOGGANING CLUB INC,* (1934) 72 CS 385.

(6) 1951 CS 192 à la p. 194; *PAYNE AND PAYNE v MAPLE LEAF GARDENS LTD,* (1949) 1 DLR 369; *AINGE v SIEMON,* (1971) 3 OR 119; *FINK ET AL v GREENIAUX,* (1973) 2 OR (2d) 54; *DIXON AND UXOR v CITY OF EDMONTON,* 1924 RCS 640; *MURPHY ET STEEPLECHASE AMUSEMENT,* (1929) 166 N.E. 173 à la p. 174.

". . . Ils acceptent les risques. Alors, s'il leur arrive malheur, lorsque parfois ils négligent trop d'observer les règles du bon sens et de la prudence, c'est à eux-mêmes qu'ils doivent s'en prendre."

Évidemment, si le moniteur ou le camp a commis une faute, il ne pourra pas se prévaloir de cette défense. Pour que cette doctrine s'applique, l'accident a dû être imprévisible et inévitable. Si l'accident avait pu être normalement prévisible et évitable, par exemple, en bannissant l'exercice parce que trop dangereux, alors, il y a faute du camp. (1) En effet, la faute de la victime se distingue du consentement à la faute d'autrui. Si la victime avait accepté des risques du sport, elle n'aurait sûrement pas accepté la faute d'autrui. C'est pourquoi, si le camp ou le moniteur commettent une faute, alors, ils ne bénificient pas de cette défense.

Conditions d'application

Pour que cette défense puisse être invoquée, l'acceptation des risques doit revêtir deux qualités bien précises.

D'abord, le participant ne doit pas avoir été obligé de faire l'exercice qui a causé l'accident. (2) Par exemple, si le moniteur oblige un enfant à effectuer un mouvement dangereux, et qu'un accident en résulte, la théorie *volenti non fit injuria* ne pourra pas s'appliquer pour dégager le moniteur de sa responsabilité. C'est ce qu'explique le juge Ignace Deslauriers de la Cour Supérieure lorsqu'il écrit dans l'affaire *BOUCHARD v LES COMMISSAIRES D'ÉCOLE POUR LA MUNICIPALITÉ DE POINTE-CLAIRE ET BEACONSFIELD,* (3)

"La théorie du risque accepté ou violenti non fit injuria ne saurait être acceptée comme critère de non-responsabilité à l'occasion d'un accident dans un gymnase, lorsqu'il s'agit d'un examen de culture physique et que les sauts par-dessus le "cheval suédois" **étaient imposés par l'instructeur lui-même."**

L'exercice doit donc être accepté volontairement. Ainsi, les parents qui contractent avec un camp d'été qui annonce dans ses dépliants publicitaires que l'hébertisme y est une discipline obligatoire se trouvent à accepter les risques de cette activité. Toutefois, à mon avis, cette acceptation ne se limiterait qu'aux appareils qui se trouvent généralement sur une piste et qui ne comportent pas un degré de danger inconsidéré en égard à l'âge et aux capacités physiques des participants. (4)

---

(1) *CITÉ DE SHERBROOKE v FERLAND,* 1964 BR 395

(2) *GERVAIS v CANADIAN ARENA CO.,* (1936) 74 CS 389.

(3) 1971 CS 190; CF: *ALLARD v COMMISSION SCOLAIRE RÉGIONALE LANAUDIÈRE,* op. cit. note 3, page 54.

(4) Ici, on doit faire appel au jugement du moniteur qui doit savoir doser la difficulté des exercices avec la possibilité de ses élèves.

Le juge McNicoll semble de cet avis lorsqu'il écrit dans l'affaire *TREMBLAY v LA COMMISSION DES ÉCOLES CATHOLIQUES DE CHICOUTIMI* (1):

"Il ressort de la preuve que non seulement cet exercice de gymnastique n'offrait pas de danger en soi qui imposât l'obligation de le faire bannir, mais qu'il constitue un exercice universellement admis dans les programmes de culture physique."

Une deuxième condition est aussi très importante. Le participant doit connaître les règles du jeu, et les mouvements à accomplir pour être en mesure d'évaluer lui-même les dangers inhérents à ladite activité. Dans l'affaire *BRUNST v ST GEORGE'S SCHOOL OF MONTREAL INC,* (2), le juge Lamarre écrit que "la preuve ne révèle aucune faute de négligence, de défaut de surveillance; *il y avait acceptation des risques lorsque l'instructeur avait informé des règlements."*

On peut donc se rendre compte que la négligence qui consisterait à ne pas instruire le participant de tous les dangers possibles relativement à l'exécution d'un mouvement, constitue une faute et ceci amènerait les tribunaux à mitiger les dommages, soit les imposer aux deux parties, habituellement 50% chacun, dépendant de la faute.

En effet, un participant qui accepterait les risques en ne les connaissant pas, pourrait réussir à faire mitiger les dommages, et à tenir le moniteur responsable d'une faute, celle de ne pas avoir expliqué les risques encourus. (3)

Devoir du moniteur

Quel est le devoir du moniteur, que doit-il faire pour ne pas commettre une faute qui pourrait engager sa responsabilité ?

Le moniteur doit faire preuve de prudence, celle qui est raisonnable dans les circonstances où il se trouve. Il doit instruire le participant des dangers de l'activité. Il doit de plus, enseigner les bons mouvements, démontrer les parades et réchappes appropriées. Il doit être en mesure de prévenir tout accident. Il doit aussi être en mesure d'intervenir en cas de chute, ce qui suppose une vigilance de tous les instants.

Il doit aussi veiller à la sûreté et au bon fonctionnement des appareils. Pour ce faire, il doit les vérifier périodiquement, voire même journellement. D'ailleurs, le juge Mayrand, dans l'affaire *PROVOST v PETIT* (4) précisa cette obligation inhérente au rôle du moniteur responsable:

---

(1) 1968 CS 678 à la p. 686.

(2) 1970 CS 541.

(3) CF sur l'acceptation des risques: *MACLEOD v ROE,* 1947 RCS 420; *ARVIDA SKI CLUB INC. v DAME BOUCHER,* 1952 BR 537; *FRASER v MONTREAL Y.W.C.A. ET MONETTE,* 1960 CS 442; *GAGNÉ v O'CONNEL LTD,* 1961 BR 344; *LA CITÉ DE MONTRÉAL v LAMOUREUX,* 1960 BR 284; *FRÉCHETTE v PÉPIN, GOBEIL ET PÉPIN,* (1937) 43 R de J 397; *MARITZER v GRÉGOIRE,* 1945 BR 403; *DUBUC v AUWERA,* 1946 RL 568; *GILBERT v CATELLIER, BEAUBIEN ET DROUIN,* 1955 CS 76.

(4) 1969 CS 473 à la p. 474.

"Une vérification périodique s'imposait vu que le plongeoir était utilisé par la clientèle des baigneurs et qu'il était exposé aux intempéries."

La négligence qui consisterait à faire utiliser des appareils défectueux constituerait une faute. De même, à mon avis, le fait de faire évoluer les jeunes sur des poutres d'équilibre mouillées me semble aussi constituer une faute. Il en est de même de l'utilisation de câbles susceptibles de céder (à cause de son état de décomposition), de l'utilisation d'appareils qui ont des clous ou des pieux proéminents, des appareils qui ne sont pas bien protégés par du foin ou de la sciure de bois, etc.

Toutefois, il ne faut pas en venir à la conclusion que le moniteur sera tenu responsable de chaque accident qui surviendra sur la piste. Certains accidents sont imprévisibles, et ne peuvent pas être empêchés, et ce, même en faisant preuve de toute la diligence nécessaire.

"La cour d'appel déclare que cet accident n'était pas prévisible et qu'aucune faute n'a été commise par les préposés de la défenderesse . . . tous les jeux comportant des risques et la plupart sont imprévisibles." [1]

Le juge Lamarre [2] écrit que "chaque jeu a des risques; s'il fallait s'arrêter à la peur du risque, il ne serait pas possible pour une institution qui a mission d'instruire et d'éduquer les enfants, de les faire participer à quelque jeu sans menace de poursuite en dommages-intérêts pour blessures que pourraient se causer les élèves en cours de jeu. Il faudrait alors fermer les gymnases de nos collèges et de nos institutions."

Les instituteurs ou les moniteurs ne peuvent avoir une plus grande responsabilité que les parents en ce qui concerne les fautes de leurs propres enfants. [3] Le moniteur n'est pas tenu de prévoir l'imprévisible. [4] Voici ce qu'écrit le juge Tachereau à ce sujet dans l'affaire *OUELLET v CLOUTIER,* [5]

"La loi n'exige pas qu'un homme prévoit tout ce qui est possible. On doit se prémunir contre un danger à condition que celui-ci soit assez probable qu'il entre ainsi dans la catégorie des éventualités normalement prévisibles. Exiger davantage et prétendre que l'homme prudent doive prévoir toute possibilité quelque vague qu'elle puisse être rendrait impossible toute activité pratique."

---

(1) *O'BRIEN v LES COMMISSAIRES D'ÉCOLE DE LA MUNICIPALITÉ DE ST URSULE,* 1964 BR 433.

(2) *Op.-Cit.,* note 11.

(3) *PROCUREUR GÉNÉRAL DE LA PROVINCE DE QUÉBEC v O'BRIEN,* 1960 BR 723, per Galipeau, à la p. 729.

(4) *TREMBLAY v LA COMMISSION SCOLAIRE DES ÉCOLES CATHOLIQUES DE CHICOUTIMI,* 1968 CS 678 à la p. 689.

(5) 1947 RCS 521 à la p. 526; CF: *DAME GOYETTE v LES COMMISSAIRES D'ÉCOLE POUR LA MUNICIPALITÉ DE POINTE-AUX-TREMBLES,* 1957 RCS 276.

On se rend compte que c'est le *probable* qui doit être prévu et non pas le *possible.* Ainsi, la prudence et la prévoyance du moniteur doivent être proportionnelles à la difficulté de l'activité.

Un autre aspect de la faute pourrait être le fait de trop exiger du jeune. Par exemple, on sait que l'hébertisme peut être conçu avec un parcours chronométré. Le fait de favoriser celui qui accomplit le plus haut saut ou qui fait le meilleur temps en passant les obstacles dangereux, peut constituer une source de responsabilité.

En effet, il n'est pas nécessaire d'utiliser cette méthode du parcours chronométré pour faire de l'hébertisme. On peut et doit préférer la technique à la vitesse indue:

> *"Campers and councellors enjoy practising on various apparatus and then a combination of apparatus. Races can be held for the bests times on one particular apparatus or a course involving several pieces of apparatus. (piste à obstacle ou piste de slalom, par exemple)* **However, the fun derived from becoming good on a particular apparatus is motivation in itself, races are not really necessary.** *Indeed, some apparatus is not suitable for races and it* **WOULD BE DANGEROUS TO TRY AN RACE ON THEM.** *"* (1)

C'est cette même réalité qu'exprimait le juge Deslauriers dans l'affaire *BOUCHARD v LES COMMISSAIRES D'ÉCOLE POUR LA MUNICIPALITÉ DE* POINTE-CLAIRE ET BEACONSFIELD, (2) lorsqu'il écrivait:

> *"L'institutrice a en outre été imprudente en aiguillant ses élèves en leur disant que deux points additionnels seraient attribués aux élèves qui réussiraient les plus hauts sauts."*

CONCLUSION

En résumé, pour éviter d'engager sa responsabilité, le moniteur devrait prendre les précautions suivantes:

1. Vérifier périodiquement la solidité de ses appareils et leur indice de difficulté.
2. Instruire les enfants des dangers possibles et leur expliquer les mouvements réchappes et parades.
3. Exercer une surveillance continuelle et adéquate (ce qui suppose de ne pas laisser les enfants s'amuser sur tous les appareils au même moment: UN APPAREIL À LA FOIS.)
4. Connaître et appliquer les rudiments de sécurité. (parades et réchappes).
5. Ne jamais forcer ou obliger les enfants à effectuer des exercices dangereux: ceux-ci devraient être FACULTATIFS.

---

(1) MINGIE, W., *A Hébertisme course for your camp?,* dans "Canadian Camping Magazine", Spring 1972, p.14.

(2) *Op.- Cit.,* note 8.

6. Ne pas favoriser ceux qui feront l'exercice le plus dangereux; insister sur la facilité d'exécution plutôt que sur la bravade inconsidérée.
7. Bien doser la difficulté d'un appareil avec les capacités de l'enfant.
8. Ne pas surmener les enfants.
9. Garder en tout temps une discipline souple, mais ferme sur la piste.

Les règles de sécurité qui devraient être suivies sur une piste d'hébertisme ont été assez bien résumées par Bob Piech: (1)

1. An instructor should check all tension devices, then demonstrate the course before students attempt it.
2. Students may not practice these course without the supervision of an instructor.
3. Heavy clothing (long trousers and sneakers) should be worn for safety. No boots allowed. (2)
4. There sould be only one student on any one obstacle at a time.
5. Knives and sharps objects in packets to be removed. (e.g. pencils)
6. If instructor feels weather is too bad, (wind or rain), do not attempt course.
7. All persons using ropes course should keep themselves aware of potential dangers. SAFETY IS PARAMOUNT.
8. Last staff on for the day, *slaken tension devices.*

---

(1) *ROPE COURSE GUIDE,* "McArthur College of Education" at Queens University, p. 1 (polycopié)

(2) Ici, on s'éloigne quelque peu des vues d'Hébert qui favorisait une nudité descente, mais cet écart est justifié par un plus grand souci de sécurité. . .

VI·LES PLANS D'APPAREILS

LES APPAREILS TRADITIONNELS.

Maintenant que l'on a acquis certaines notions de base en hébertisme, il est possible de pousser plus en avant notre exploration de la méthode naturelle. Il semble donc opportun d'exposer en quelques lignes les principaux appareils constituant une piste d'hébertisme.

On a déjà vu que Georges Hébert avait classifié les mouvements naturels fondamentaux en 10 catégories d'exercices, savoir (1) la marche, (2) le saut, (3) la course, (4) la natation, (5) la défense, (6) la quadrupétie, (7) l'équilibrisme, (8) le lancer, (9) le lever et le porter et (10) le grimper.

Lors de l'aménagement d'une piste d'hébertisme, il faut tenir scrupuleusement compte de cette classification de base. Les appareils qui ne répondent pas à un besoin fonctionnel ou utilitaire ne devraient pas trouver leur place sur une piste d'hébertisme digne de ce nom.

À prime abord, on peut distinguer trois formats de piste d'hébertisme: la petite, qui comporte de 5 à 10 appareils. Elle est d'une longueur d'environ ¼ de mille. Il y a aussi la piste moyenne qui comprendra 10 à 30 appareils. Elle sera d'une longueur moyenne d'environ 1 mille. Et finalement, on retrouve rarement la grosse piste qui offrira plus de 30 appareils et dont la longueur pourra atteindre jusqu'à 2 milles. Il est à noter ici que je parle de la piste droite à deux accès. Nous reviendrons une autre fois à la piste circulaire.

Sur une petite piste, il faut retrouver les appareils de base, et seulement ceux-là, i.e. au moins un appareil pour chaque catégorie de mouvements.

Mais quels sont les appareils ou stations traditionnels que l'on doit retrouver en tout premier lieu sur une piste d'hébertisme? Les principales stations sont sans contredit: Les lianes de Tarzan, le pont de corde, le mur, le tunnel, les échelles de corde, la toile d'arraignée, les pattes d'éléphants, les câbles parallèles, le pont des singes, le kangourou, les poutres d'équilibre, la bascule et la paroie.

Dans les quelques lignes qui suivent, vous trouverez une description sommaire de chacun de ces appareils avec les matériaux qu'ils nécessitent.

1. Les lianes de Tarzan. (planche 9.09)

Cet appareil est de loin le plus populaire autant chez les plus jeunes que chez les moins jeunes. Malheureusement, il est habituellement mal installé, ce qui lui enlève beaucoup de ses possibilités. On doit tout d'abord choisir un arbre assez haut. (environ 20 pieds) Plus il est élevé, plus l'angle de balancement sera grand, et plus la "randonnée" sera agréable. Le câble (d'un po. de diamètre) sera fixé à une branche perpendiculaire à l'arbre. (ou à un câble perpendiculaire à l'arbre)

Le point de départ est très important dans la réussite de cette station. Il doit être surélevé, d'une hauteur d'environ 3 ou 4 pieds. Ainsi, ce point de départ fournira l'élan nécessaire au bon déroulement de l'exercice. Mais on peut varier l'appareil, en constituant une routine, i.e. plusieurs lianes qui se suivent. Mais l'angle de ces lianes successives devra être calculé avec soin, de sorte que le changement de liane puisse s'effectuer sans heurt, tout en conservant son élan.

Il est bon de confectionner un gros noeud ou une prise pour le pied à l'extrémité la plus basse du câble, afin de permettre aux plus jeunes qui ne peuvent pas se soutenir par la seule force de leurs bras, d'utiliser aussi leurs pieds. Ainsi, tous pourront s'amuser, et imiter à grand renfort de cris leur héros légendaire.

2. Le pont de corde. (planche 7.23)

C'est peut-être l'un des appareils les plus difficile à installer. Il faut connaître plusieurs sortes de noeuds pour s'en sortir avec honneur. Il peut-être érigé de plusieurs façons, mais la façon la plus simple semble être la suivante.

Premièrement, on attache un câble d'un po de diamètre à deux arbres d'un diamètre d'environ 1 ou 2 pi. Une fois ce câble fixé, on place deux autres câbles au-dessus (environ 3 pi au-dessus) d'un diamètre d'un demi pouce. Ainsi, nous obtenons la super-structure de notre appareil. Placé d'en haut, on peut voir deux petits câbles parallèles distant d'environ 1 pi ou 2 (dépendant du diamètre des arbres utilisés) et plus bas, au centre de ces deux câbles, se trouve le câble d'un pouce de diamètre.

Ensuite, on prend un autre câble (¼ po diamètre) que l'on utilise pour confectionner les côtés de notre pont. On sait que les câbles sont confectionnés de telle sorte qu'ils possèdent habituellement trois câbles plus petits qui sont tressés ensembles. Il faut donc détresser le câble du haut, pour pouvoir y insérer le câble de ¼ de po. On le glisse à travers, et on fait un noeud solide. Puis, on descend jusqu'au câble de 1 po et on fait la même chose. Puis on remonte 3 et on fait la même chose sur l'autre côté du câble de ½ po, et on redescend. Ainsi, après avoir fait cette opération à plusieurs reprises, nous obtiendrons les côtés de notre pont.

Finalement, le participant marche sur le gros câble, en se tenant aux câbles de ½ po qui ont été installés au-dessus. Cet appareil est assez long à réaliser et on peut le faire de la longueur que l'on veut.

3. Le mur. (planche 10.24)

Le mur doit être construit de façon très résistante. On l'installera entre deux arbres, distants d'environ 8 ou 10 pieds. On place ensuite une bille perpendiculaire au bas des arbres, et une autre à l'extrémité qui sera le sommet du mur. Notre structure est érigée. Ensuite, il faut utiliser des planches très lisses qui entrent les unes dans les autres. Et nous obtenons alors un mur d'une hauteur pouvant varier de 10 à 15 pi. On installera sur le mur, de petites planches (4 po par 4 po) qui serviront à s'agripper lors de la montée. Et on disposera des bâlles de foin de l'autre côté du mur, pour faciliter le saut après l'arrivée au sommet.

4. Le tunnel. (planche 5.01)

Cet appareil est à la fois amusant et très fonctionnel. En effet, en plus de favoriser la quadrupétie, il permet aussi au spécialiste de se débarrasser de toutes les branches mortes inutiles sur sa piste. Le tunnel prendra alors l'aspect d'une digue de castor, à la plus grande joie des enfants.

De plus, cet appareil permet de déceler la claustrophobie, étant donné que l'on ne doit pas apercevoir la sortie. Il devra être d'une longueur d'environ 50 pi, tout en serpentant entre les arbres. Il sera d'une hauteur d'environ 1-½ pi et d'une largeur de 2 pi. S'il est trop haut, les jeunes pourront avancer à quatre pattes, sans avoir à ramper.

Pour le construire, on installe une structure en bois. On enfonce des pieux dans le sol, tout le long du parcours projeté. Puis ensuite, on installe sur ces pieux, des billes qui les relient entre eux. Ensuite, on place des billes de travers sur cette structure et on en place aussi dans les côtés. Une fois cette tâche terminée, on commence à le recouvrir avec toutes les branches mortes disponibles. Il est préférable d'utiliser des branches de sapins, mais on peut s'accommoder de ce qui nous tombe sous la main.

Il faudra prendre soin que le tunnel soit recouvert en entier, afin qu'il règne à l'intérieur une profonde obscurité. Il faut aussi prendre soin de ne pas laisser dépasser des branches à l'intérieur, ce qui pourrait être fatal pour les yeux, Cet appareil est facile à réaliser, et il en amuse plus d'un !

5. Les échelles de corde. (planche 10.02)

Cette station est très en demande sur une piste d'hébertisme, mais peu savent comment confectionner une échelle de corde qui soit à la fois sécuritaire et utilitaire. En tout premier lieu, il faut couper deux morceaux de câbles (1 po de diamètre) d'une longueur égale. Pour ce qui est de la longueur, il faut penser à la longueur de l'échelle projetée. Il ne faut pas oublier de laisser environ 4 ou 5 pi de câble non utilisé pour installer l'échelle à un arbre.

Puis commence vraiment le travail. On peut construire ces échelles de deux façons. Soit que les barreaux soient en cordes, ou soit qu'ils soient en bois. De toute façon, le principe est le même, quelque soit le matériel utilisé.

On étend les deux bouts de câbles sur le sol, et on détresse un côté du câble. Dès lors, on obtient une sorte d'ouverture dans le câble. On y insère ensuite une extrémité du barreau et on fait de même pour l'autre extrémité. On prend soin de les placer à égalité, et on continue ainsi de suite. Une fois qu'on a inséré le barreau, le câble se resserre sur celui-ci, et il est solide. On peut recouvrir le tout d'un bon brêlage, ce qui aura plus une fonction décorative qu'utilitaire !

Pour le barreau, on aura pris soin de couper de petites billes d'environ 1 pi de long et d'un diamètre d'environ 1 po. Puis, à chaque extrémité, on fera une sorte d'encoche en forme de "v". C'est dans cette encoche que le câble reposera, et c'est ce qui l'empêchera de glisser. Pour ce qui est des barreaux en cordes, le principe du détressage du câble est le même. On y insère le barreau en corde ($\frac{1}{4}$ de po) et on le noue solidement. Cette station est assez longue à confectionner, mais c'est une belle valeur pour la piste.

6. La toile d'arraignée. (planche 10.39)

Il s'agit ici en quelque sorte d'un gros filet placé à la verticale entre deux arbres. On utilise le même principe que pour le mur, i.e. que l'on fixera une bille perpendiculaire aux arbres, une en bas, et l'autre à l'extrémité supérieure de notre appareil.

Une fois la structure en place, on utilisera des câbles de 1 po de diamètre, ainsi que des câbles de $\frac{1}{2}$ po. On coupe des bouts de câbles de 1 po et on attache une extrémité de chaque câble à la poutre perpendiculaire supérieure. On obtient ainsi une sorte de rideau de câbles qui ne doivent pas être noués à l'extrémité inférieure. On les aura disposé à environ 1 pi de distance les uns des autres.

Puis, dans un second temps, on utilisera les câbles de $\frac{1}{2}$ po de diamètre. On nouera une extrémité du câble à l'un des arbres. Puis, on le passe à l'intérieur de chaque câble de 1 po qui ont été déjà fixée. On utilise le détressage du câble de 1 po, on insère celui de $\frac{1}{2}$ po, on le noue, et on continue jusqu'à ce que l'on ait enfilé tous les câbles de 1 po. Puis, on noue l'extrémité du câble de $\frac{1}{2}$ po qui reste à l'autre arbre. Et notre toile d'arraignée commence à prendre forme. Une fois que tous les câbles de $\frac{1}{2}$ po ont été installés et noués aux deux arbres, on noue les extrémités inférieures des câbles de 1 po à la poutre perpendiculaire du bas. La toile se trouve maintenant à être tendue, et elle est prête pour utilisation.

7. Les pattes d'éléphants. (planche 7.03)

Cet appareil est assez facile à réaliser. On n'a qu'à couper des bûches d'environ 8 po de diamètre. On affile une extrémité de ces bûches qui sont d'inégales longueur. (de 1-½ pi à 2-½ pi). Puis, on les plante dans le sol, à environ 2 pi l'une de l'autre. Elles sont disposées, une à droite, une à gauche.

Le but de cet appareil, c'est de faire prendre conscience de l'équilibre et en même temps de marcher sur ces bûches qui ont été disposées dans le sol un peu sur le modèle de trace de pas humaines. On peut diminuer le diamètre des bûches utilisées (2 à 4 po de diamètre) et procéder de même. On obtiendra alors des pattes de singes; inutile de préciser que l'équilibre est plus difficile à maintenir sur ces appareils !

8. Les câbles parallèles. (planche 1.13)

Cette station est très simple dans sa conception. On choisit deux arbres distants d'environ 15 pi. On place un câble d'environ 1 po de diamètre qui relie les deux arbres. Puis, à 4 pi plus haut, on place un autre câble, installé de la même façon, et qui est de la même grosseur.

Le fonctionnement de cette station est le suivant. Le participant grimpe sur le premier câble i.e. le plus bas, et il y pose ses pieds. Il place ses mains sur le câble du haut, et il doit avancer en déplacant des pieds de côté, tout en s'aidant de ses mains. Cet appareil est aussi très populaire dans les camps, étant donné sa facilité de fabrication.

9. Le pont des singes. (planche 1.09)

Cet appareil prend la forme d'une échelle horizontale placée entre deux arbres. L'exercice à effectuer est de passer d'un arbre à l'autre, en ne se servant que de ses mains. Cette échelle (confectionnée à partir de bois rond) est installée à environ 7 pi du sol. Sa longueur peut varier selon les fantaisies du constructeur. Mais on doit prendre soin de ne pas trop distancer les barreaux, et de ne pas les prendre trop gros. Par exemple, un diamètre de ½ po serait amplement suffisant, pour permettre un bon appui pour la main. On peut aussi varier l'appareil en installant une extrémité plus haute que l'autre. (début à 12 pi et fin à 7 pi du sol.)

10. Kangourou. (planche 2.12)

Cet appareil est très simple à réaliser. Il suffit de posséder plusieurs vieux pneus inutiles, et cela suffit. On les dispose en demi-cercle, en prenant soin de bien les espacer.

Le but de l'exercice, est de sauter "à pieds joints" dans le centre du pneu, et de procéder ainsi tout au long du parcours. Il s'avère suffisant d'utiliser 15 à 20 pneus.

Le parcours sera installé à l'entour d'un arbre ou d'une grosse roche par exemple, et pourra atteindre dans certains cas, une longueur de 25 à 30 pi. Il faut aussi prendre soin de bien fixer les pneus à l'endroit voulu. On placera aussi un peu de foin dans le centre du pneu.

On peut aussi s'amuser à creuser au centre de certains pneus, ce qui aura un effet de surprise salutaire chez le participant.

11. Les poutres d'équilibre. (planche 7.12)

Cet appareil est très conventionnel. Son originalité résidera dans la façon dont on l'a aménagé. On peut par exemple utiliser un sapin mort qui jonche le sol. On dégarnira le dessus du tronc de l'arbre, tout en laissant les autres branches; le tout n'en sera que plus périlleux. On peut aussi placer la poutre d'équilibre au dessus d'un marais. La fausse manoeuvre entraine la baignade . . . On peut aussi installer la poutre à différentes hauteurs. On commence à 2 pi, et on peut aller jusqu'à 10 pi pour ceux qui seront rompus à cette activité.

12. La bascule. (planche 7.30)

Il s'agit ici d'une variation des poutres d'équilibre fixes. On place une bille transversale entre deux arbres, à une hauteur d'environ 3 ou 4 pi. Puis, on place au centre de cette bille une autre bille qui a une extrémité au sol; en avançant sur la bille, une extrémité monte, alors que l'autre descend. Il suffit de marcher d'un bout à l'autre de cette bille mobile.

13. La paroi. (planche 10.08)

On utilise ici un rocher assez escarpé. On fixe un câble au sommet (1 po de diamètre), et on tente la descente et la remontée à l'aide de ce câble. Cet exercice s'apparente un peu à l'escalade.

AUTRES APPAREILS.

Je viens de vous présenter les appareils d'hébertisme dits "traditionnels". Évidemment, les stations que je viens de vous décrire ne sont pas les seules, en voici d'autres.

1. L'échelle de noeud. (planche 10.01)

Cet appareil est très simple à installer; il suffit d'utiliser un câble de 1 po de diamètre. (**N.B. Il faut prendre soin de le tailler au moins le double de la longueur de la future échelle**). Une fois que le câble est taillé à la longueur voulue, il suffit de faire des noeuds, à environ tous les 6 po. Une fois tous les noeuds terminés, l'échelle est alors prête à être installée. Il serait bon de faire un gros noeud à l'extrémité inférieure de l'échelle pour en assurer la solidité et éviter que le câble se détresse. De plus, il ne faut pas oublier de prévoir à l'extrémité supérieur, un espace libre pour installer le câble à un arbre ! Cet exercice favorise la force des bras, l'équilibre, le grimper, et la coordination des mouvements.

1a. L'étrier. (planche 10.06)

Cet appareil est une variation des échelles. Pour la confectionner, on utilise encore un câble de 1 po de diamètre. Et, à espaces réguliers de chaque côté du câble, on place des cercles de corde (environ 6 po de diamètre) que l'on fixe au câble principal, par le principe du détressage tel qu'expliqué dans une chronique antérieure. Ainsi, l'exercice consiste à grimper en haut du câble, en se servant de ces étriers !

2. Le damier. (planche 2.11)

D'un aménagement simple, cet appareil est aussi très utilitaire. On peut le fabriquer de différentes façons. La plus simple, est sûrement de couper trois billes d'environ 8 à 10 po de diamètre et de 10 à 15 pi de longueur. On place ensuite ces billes sur le sol, une à côté de l'autre, mais distantes entre elles d'environ 1 pi. Une fois que ces billes ont été disposées sur le sol, on utilise d'autres billes de diamètre moindre (environ 4 à 6 po) que l'on dispose à travers des autres billes, à une distance de 10 po les unes des autres.

On obtient ainsi une forme de quadrillé en bois, et l'exercice consiste à sauter dans les trous, les pieds joints.

On peut aussi concevoir un damier plus élevé; ainsi, au lieu de faire reposer les billes sur le sol, on n'a qu'à placer des bûches aux extrémités des billes. Et c'est la même chose pour la structure du damier. La hauteur ne devrait toutefois pas dépasser 1-½ pi à 2 pi.

Une autre technique pour réaliser le damier s'est révélée efficace. En effet, on utilise des câbles de 1 po de diamètre, au lieu des billes de bois. On place des pieux dans le sol (environ 6), et c'est à ces pieux que sera suspendu le filet servant de damier. Ce quadrillé en corde sera de même dimension que celui en bois, et l'exercice sera évidemment le même.

Cet appareil exerce le coup d'oeil, l'appréciation des distances, et le saut.

3. La corde à danser. (planche 2.24)

Pour confectionner notre corde à danser, on utilise un câble de 1 po de diamètre et d'une longueur d'environ 8 pi, dont une des extrémités est reliée à un arbre. Cet appareil, banal en soi, s'avère d'une utilité pédagogique non négligeable.. (Il est beaucoup plus difficile de sauter à la corde lorsque celle-ci est de cette grosseur !) Souvent, le moniteur sera aux prises avec un groupe de jeunes garçons et de jeunes filles; malheureusement, les jeunes garçons prennent souvent plaisir à ridiculiser les jeunes filles qui exécutent les mouvements avec difficulté, et sont ainsi tentés de se vanter. C'est à ce niveau qu'intervient le secours pédagogique de la corde à danser.

Habituellement, les jeunes filles n'éprouvent aucune difficulté à cet appareil; en effet, elles sautent la corde avec beaucoup de facilité, peu importe la grosseur de celle-ci. Mais il en est tout autrement pour les garçons. C'est donc une chance unique pour les filles de démontrer leur supériorité. Et, si par malheur, un jeune vantard réussit tout aussi bien que les filles, c'est alors que le rôle du moniteur se concrétise. Sans que cela se voit, lorsque ce jeune garçon sautera la corde, le moniteur montera discrètement la corde, juste assez pour faucher le sauteur. (On aura évidemment pris la précaution de bien tapisser le sol de bran de scie ou de foin avant l'exécution). Ainsi, le jeune croira que c'est lui qui a manqué, et il sera amené à respecter et à aider ses consoeurs. Mais encore ici, le spécialiste doit faire preuve de bon sens, ce qui ne s'enseigne pas . . .

4. La grenouille. (planche 2.14)

Pour cet appareil, on peut utiliser des bûches de 10 à 12 po de diamètre et d'une longueur d'environ 1-½ pi. Il suffit de les coucher sur le sol, une à la suite de l'autre, à une distance d'environ 1 pi l'une de l'autre. L'exercice consiste à sauter par-dessus chaque bûche, à pieds joints. On peut aussi sauter sur les bûches. On a déjà utilisé des caisses de liqueurs en bois pour cet exercice; elles sont plus rapides à installer, mais l'environnement en souffre quelque peu.

5. Le serpentin. (planches 5.12 – 5.13)

Cet appareil peut être placé soit à l'horizontale, soit à la verticale. Lorsqu'on l'installe à l'horizontale, il prend l'apparence d'une grande échelle suspendue entre deux arbres. Le serpentin peut mesurer jusqu'à 15 pi de longueur, et être d'une largeur d'environ 5 pi. L'exercice consiste à passer par-dessus la première barre transversale (le premier barreau de l'échelle) et dessous la seconde, au-dessus de la troisième, et ainsi de suite. Lorsque l'appareil est fixé à la verticale, l'exercice est le même; il faut toutefois noter que l'exercice est de beaucoup plus difficile à effectuer lorsque le serpentin est fixé à l'horizontale . . . Une surveillance adéquate est recommandée sur cet appareil, car en cas de chute, les blessures à la colonne vertébrale et aux poignets sont à redouter.

6. Le rodéo. (planche 7.27)

Pour réaliser cet appareil, il suffit d'utiliser une poutre d'équilibre. On choisira toutefois une poutre ayant un diamètre d'environ 10 po. L'exercice consiste à avancer assis sur la poutre en s'aidant de ses bras pour se soulever. Cet appareil est recommandé pour habituer le jeune à la hauteur des poutres. C'est donc en quelque sorte la première étape, avant de marcher sur la poutre. Tout en étant sécuritaire, cet appareil permet au participant d'habituer son oeil au vide.

7. Le fil de fer. (planche 7.26)

Cet appareil est constitué d'un câble d'acier tendu entre deux arbres. Il est recommandé de ne pas faire cet appareil trop long, à cause de son haut coefficient de difficulté. L'exercice consiste à marcher sur le fil de fer. Il est toutefois à noter que cet appareil ne devrait jamais être installé à plus de 1 pi du sol, puisque les chutes sont très fréquentes . . . Pour aider les débutants, on pourra fixer un câble d'assurance, à une hauteur de 5 à 6 pi du câble d'acier.

Ainsi, en cas de difficulté, on peut toujours recorir à ce câble protecteur. Mais, s'il s'agit d'une épreuve, on tiendra compte du nombre de fois que le participant aura eu recours à ce câble d'assurance pour compiler ses points.

Le plus difficile, dans l'installation d'un appareil qui nécessite un câble d'acier, c'est de tendre ce câble entre les deux arbres. La première extrémité est assez facile à fixer, mais les difficultés commencent lorsque l'on tente de fixer la seconde. On peut soit enrouler le câble à l'entour de l'arbre, soit enrouler une chaîne à l'entour de l'arbre et fixer le câble à cette chaîne. On peut trouver sur le marché une sorte de crochet qui vice, et en le viçant, on se trouve à tendre le câble.

8. L'escabaut. (planche 7.36)

Premièrement, on construit une structure qui prend la forme d'un triangle. Sur cette structure, on fixe des tiges de bois transversales d'un diamètre d'environ 2 po. (largeur de 4 à 5 pi). L'exercice consiste à gravir les marches et à les redescendre tout en gardant son équilibre, sans utiliser les mains. On peut aussi obtenir le même résultat en confectionnant deux échelles en rondins et en les fixant de chaque côté d'un arbre, à angle de 45°. Si votre appareil, une fois terminé, prend la forme d'un escabaut, vous avez réussi ! . . .

9. La souricière. (planche 7.22)

Le principe de cet appareil participe un peu de celui de la routine: il englobe deux catégories de mouvements, savoir l'équilibre et le ramper . . . On construit tout d'abord un petit mur entre deux arbres, en disposant des tiges horizontales. Mais, à une hauteur de 5 pi du sol, on laisse un espace libre, où on ne place pas de tige. (2 pi de hauteur). Et après cet espace libre, on continue à monter notre mur, à la hauteur que l'on désire. On obtient donc un mur avec un trou au milieu.

Ensuite, on coupe deux billes d'une longueur d'environ 10 pi chacune et d'un diamètre de 8 à 10 po. Une fois les billes taillées, on les place de chaque côté du trou du mur, pour qu'elles forment une ligne oblique. L'exercice consiste ensuite à marcher en équilibre sur la première poutre, passer dans le trou, et on redescend de l'autre côté en gardant son équilibre sur la 2ième poutre d'équilibre . . . (Une des extrémités de la bille est au sol, alors que l'autre est fixée à l'entrée du trou).

10. Les poutres alternées. (planche 2.13)

Pour construire cet appareil, on enfonce deux pieux dans le sol, distants de 4 pi l'un de l'autre. Une fois qu'ils sont installés, on relie ces deux pieux avec une bille transversale. Et on répète l'opération plusieurs fois pour obtenir environ 10 à 15 structures du même genre, distantes les unes des autres d'environ 3 pi. La hauteur de chacune peut varier, mais ne devrait jamais dépasser 5 pi. **(N.B. Si les poutres alternées sont aménagées dans une côte, il est bon de les construire moins hautes, car il sera impossible de sauter par-dessus, en venant du bas de la côte).** L'exercice consiste ensuite à sauter par-dessus la première, à ramper sous la seconde, etc. On peut ensuite inverser l'exercice, i.e. ramper sous la première, sauter au-dessus de la seconde. Mille variations sont possibles avec cet appareil.

VII-INDEX DES APPAREILS

1-0 LA MARCHE

1.01. . . . . (p. 82) . . . . L'escalier roulant
1.02. . . . . (p. 82) . . . . . La toile d'arraignée horizontale
1.03. . . . . (p. 83) . . . . Le Paralytique
1.04. . . . . (p. 83) . . . . Les échâsses
1.05. . . . . (p. 84) . . . . .Le cascadeur
1.06. . . . . (p. 84) . . . . Le Poinçon
1.06 a). . . (p. 85) . . . . Variation
1.07. . . . . (p. 85) . . . . Le Méli-Mélo
1.08. . . . . (p. 86) . . . . Le Singe
1.09. . . . . (p. 86) . . . . Le Pont des singes
1.09 a). . . (p. 87) . . . . Variation
1.09 b) . . (p. 87) . . . . Variation
1.09 c). . . (p. 88) . . . . Variation
1.09 d) . . (p. 88) . . . . Variation
1.10. . . . . (p. 89) . . . . La Trampoline
1.10 a). . . . (p. 89) . . . . Variation
1.11. . . . . . (p. 90) . . . . La Guenon
1.12. . . . . . (p. 90) . . . . Les câbles symétriques
1.13. . . . . . (p. 91) . . . . Les câbles parallèles
1.13 a). . . . (p. 91) . . . . Variation
1.14. . . . . . (p. 92) . . . . . . .Les câbles parallèles doubles
1.14 a). . . . (p. 92) . . . . Variation
1.15. . . . . . (p. 93) . . . . Routine

2.0 LE SAUT

2.01. . . . . . (p. 96) . . . . .Le chat
2.02. . . . . . (p. 97) .Saute-moutons
2.02 a). . . . (p. 97) . . . . Variation
2.03. . . . . . (p. 98) . . . . .Le bûcher
2.04. . . . . . (p. 98) . . . . .Saut simple
2.04 a). . . . (p. 99) . . . . Variation

2.05. . . . . .(p. 99) . . . . Le soldat
2.06. . . . . .(p. 100) . . . . La Gerboise
2.07. . . . . .(p. 100) . . . . Le rac à poules
2.08. . . . . (p. 101) . . . . Skippy
2.09. . . . . (p. 101) . . . . Le Ballon
2.10. . . . . (p. 102) . . . . La Fosse
2.11. . . . . (p. 102) . . . . Le damier
2.11 a). . . (p. 103) . . . . Variation
2.11 b) . . (p. 103) . . . . Variation
2.12. . . . . (p. 104) . . . . Le Kangourou
2.13. . . . . (p. 104) . . . . Les Poutres alternées
2.14. . . . . (p. 105) . . . . La grenouille
2.15. . . . . (p. 105) . . . . Le Soubresaut
2.16. . . . . (p. 106) . . . . Les poches de sable
2.17. . . . . (p. 106) . . . . La Chenille
2.18. . . . . (p. 107) . . . . Le ponceau
2.19. . . . . (p. 107) . . . . La libellule
2.20. . . . . (p. 108) . . . . La sauterelle
2.21. . . . . (p. 108) . . . . Le plongeon
2.22. . . . . (p. 109) . . . . .Mary Poppin
2.23. . . . . (p. 109) . . . . .Aire de sauts
2.24. . . . . (p. 110) . . . . La corde à danser
2.25. . . . . (p. 110) . . . . Saut de barils
2.25 a). . . (p. 111) . . . . Variation
2.26. . . . . (p. 111) . . . . L'échaffaud
2.27. . . . . (p. 112). . . . . Les "X"

3.0 NATATION

. . . . (p. 113) . . . . .nil

4.0 DÉFENSE

. . . . (p. 114) . . . . .nil

5.0 LA QUADRUPETIE

5.01. . . . . (p. 116) . . . . Tunnel traditionnel
5.01 a). . . (p. 116) . . . . Tunnel double
5.01 b) . . (p. 117) . . . . .Tunnel en tipi
5.01 c). . . (p. 117) . . . . Tunnel en demi-cercle
5.01 d) . . (p. 118) . . . . .Tunnel à sorties multiples
5.01 e). . . (p. 118) . . . . .Tunnel en tuyaux
5.01 f). . . (p. 119) . . . . Tunnel en barils
5.01 g). . . (p. 119) . . . . Tunnel à hauteurs variables
5.02. . . . . (p. 120) . . . . L'embûche
5.03. . . . . (p. 120) . . . . Le repaire du naim
5.04. . . . . (p. 121) . . . . Le Lombric
5.05. . . . . (p. 121) . . . . Le slalom en rampant
5.06. . . . . (p. 122) . . . . La tranchée
5.07. . . . . (p. 122) . . . . .L'égoût
5.08. . . . . (p. 123) . . . . .L'échelle malade
5.09. . . . . (p. 123) . . . . Le boa

5.09 a). . . . (p. 124) . . . . Variation
5.10. . . . . . (p. 124) . . . . La couleuve
5.11. . . . . . (p. 125) . . . . .Le perchoir
5.12. . . . . . (p. 125) . . . . .Serpentin horizontal
5.13. . . . . . (p. 126) . . . . Serpentin vertical
5.13 a). . . . (p. 126) . . . . Variation
5.14. . . . . . (p. 127) . . . . Les gallons
5.15. . . . . . (p. 128) . . . . Le Mille-Pattes
5.15 a). . . . (p. 128) . . . . Variation

6.0 LA COURSE

6.1. . . . . . . (p. 130) . . . . La toupie
6.02. . . . . . (p. 130) . . . . Poteaux de slalom
6.03. . . . . . (p. 131) . . . . L'arc en ciel
6.04. . . . . . (p. 131) . . . . La cage aux lions
6.05. . . . . . (p. 132) . . . . Piste à obstacles
6.06. . . . . . (p. 132) . . . . Le fil d'Arianne

7.0 L'ÉQUILIBRISME

7.01. . . . . . (p. 134) .Les Trapèzes
7.02. . . . . . (p. 134) . . . . L'Orang-outang
7.03. . . . . . (p. 135) . . . . Les Pattes d'éléphants
7.03 a). . . . (p. 135) . . . . Variation
7.03 b) . . . (p. 136) . . . . Variation
7.04. . . . . (p. 136) . . . . Le sentier du diable
7.05. . . . . (p. 137) . . . . Le tapis maudit
7.06. . . . . (p. 137) . . . . L'escalier
7.07. . . . . (p. 138) . . . . Les Pattes de singe
7.08. . . . . (p. 138) . . . . Le trottoir
7.09. . . . . (p. 139) . . . . Routine
7.10. . . . . (p. 139) . . . . Routine
7.11. . . . . (p. 140) . . . . Le Pneumatique
7.12. . . . . (p. 140) . . . . .Poutres d'équilibre
7.13. . . . . (p. 141) . . . . .La marche du Papou
7.14. . . . . (p. 141) . . . . La voie ferrée
7.15. . . . . (p. 142) . . . . Les traverses
7.15 a). . . (p. 142) . . . . Variation
7.16. . . . . (p. 143) . . . . .Le Ravin
7.16 a). . . (p. 143) . . . . Variation
7.16 b) . . (p. 144) . . . . Variation
7.17. . . . . (p. 144) . . . . Le Pont Zoulou
7.18. . . . . (p. 145) . . . . Le Grand écart en bois
7.18 a). . . (p. 145) . . . . Le Grand écart en corde
7.19. . . . . (p. 146) . . . . La Berceuse
7.20. . . . . (p. 146) . . . . Le Pneu
7.21. . . . . (p. 147) . . . . L'angle aigu
7.22. . . . . (p. 147) . . . . La Souricière
7.23. . . . . (p. 148) . .Le pont en corde *OU* Pont Chinois
7.23 a). . . (p. 148) . . . . Variation
7.23 b). . . (p. 149) . . . . Variation

7.23 c). . . . (p. 149) . . . . Variation
7.24. . . . . . (p. 150) . . . . .La Balançoire *OU* Le Draveur
7.25. . . . . . (p. 150) . . . . L'attrappe-nigauds
7.26. . . . . . (p. 151) . . . . Le fil de fer
7.27. . . . . . (p. 151) . . . . Le Rodéo
7.28. . . . . . (p. 152) . . . . La Ballustrade
7.29. . . . . . (p. 152) . . . . .L'Écartèlement
7.30. . . . . . (p. 153) . . . . La Bascule
7.30 a). . . . (p. 153) . . . . Variation
7.31. . . . . . (p. 154) . . . . .Le Petit Poucet
7.32. . . . . . (p. 154) . . . . Le Sapin Mort
7.33. . . . . . (p. 155) . . . . Le Marais
7.34. . . . . . (p. 155) . . . . Système d'équilibre
7.35. . . . . . (p. 156) . . . . L'arbre
7.36. . . . . . (p. 156) . . . . L'escabaut
7.36 a). . . . (p. 157) . . . . Variation
7.36 b) . . . (p. 157) . . . . Variation
7.37. . . . . . (p. 158) . . . . La Passerelle
7.38. . . . . . (p. 158) .Le Hamac
7.39. . . . . . (p. 159) . . . . Les Pas de Loup
7.40. . . . . . (p. 159) . . . . La Dégringolade
7.41. . . . . . (p. 160) . . . . Le Suicide
7.42. . . . . . (p. 160) . . . . La Pirouette
7.43. . . . . . (p. 161) . . . . La Virevolte
7.44. . . . . . (p. 161) . . . . Le Rouleau à pâte
7.44 a). . . . (p. 162) . . . . Variation
7.45. . . . . (p. 162) . . . . Le Baril
7.46. . . . . (p. 163) . . . . .Le Pont des anges
7.46 a). . . (p. 163) . . . . Variation
7.47. . . . . (p. 164) . . . . .Le Pont Roulant
7.48. . . . . (p. 164) . . . . .Le pont Tremblant
7.49. . . . . (p. 165) . . . . .Le Losange
7.49 a). . . (p. 165) . . . . Variation
7.50. . . . . (p. 166) . . . . La digue de Castors
7.51. . . . . (p. 166) . . . . Le Dôme de Pneus
7.51 a). . . (p. 167) . . . . Variation
7.51 b) . . (p. 167) . . . . Variation
7.52. . . . . (p. 168) . . . . .Les Tremplins

8.0 LE LANCER

8.01. . . . . (p. 170) . . . . Le Bulzail fixe
8.01 a). . . (p. 170) . . . . Le Bulzail mobile
8.02. . . . . (p. 171) . . . . .Les Canettes
8.03. . . . . (p. 171) . . . . La Bouée de sauvetage
8.03 a). . . (p. 172) . . . . Variation
8.04. . . . . (p. 172) .La soucoupe

9.0 LE LEVER ET LE PORTER

N.B. On peut ajouter ici, le tirer et le pousser.

9.01. . . . . (p. 174) . . . . .Les Oeufs d'Autruche

9.02. . . . . . . (p. 174) . . . . L'ascenseur
9.02 a). . . . . (p. 175) . . . . Variation
9.03. . . . . . . (p. 175) . . . . La Tire de Chevaux
9.03 a). . . . . (p. 176) . . . . Variation
9.04. . . . . . . (p. 176) . . . . Souque à la corde
9.04 a). . . . . (p. 177) . . . . Variation
9.05. . . . . . . (p. 177) . . . . Le Bouc
9.06. . . . . . . (p. 178) . . . . La Traîne
9.07. . . . . . . (p. 178) . . . . Le Buffle
9.08. . . . . . . (p. 179) . . . . Le téléphérique
9.08 a). . . . . (p. 179) . . . . Variation
9.08 b) . . . . (p. 180) . . . . Variation
9.09. . . . . . . (p. 180) . . . . La Liane de Tarzan
9.09 a). . . . . (p. 181) . . . . Variation
9.09 b) . . . . (p. 181) . . . . Variation
9.09 c). . . . . (p. 182) . . . . Variation
9.10. . . . . . . (p. 182) . . . . Routine
9.11. . . . . . . (p. 183) . . . . La Chaise roulante
9.12. . . . . . . (p. 183) . . . . La Poulie
9.13. . . . . . . (p. 184) . . . . Le Poussoir

10.0 LE GRIMPER

10.01. . . . . . (p. 186) . . . . Échelles de noeuds
10.02. . . . . . (p. 186) . . . . Échelle de corde
10.03. . . . . . (p. 187) . . . . Variation
10.04. . . . . . (p. 187) . . . . Échelle de rondins
10.05. . . . . . (p. 188) . . . . Câble lisse
10.06. . . . . . (p. 188) . . . . L'étrier
10.07. . . . . . (p. 189) . . . . La roche
10.08. . . . . . (p. 189) . . . . La Paroi
10.09. . . . . . (p. 190) . . . . Le Monte-Charge
10.10. . . . . . (p. 190) . . . . L'épi
10.11. . . . . . (p. 191) . . . . L'Anneau d'or
10.11 a). . . . (p. 191) . . . . Variation
10.12. . . . . . (p. 192) . . . . La Vigie
10.13. . . . . . (p. 192) . . . . L'échelle de Pneus
10.13 a). . . . (p. 193) . . . . Variation
10.14. . . . . . (p. 193) . . . . Le Câble oblique
10.15. . . . . . (p. 194) . . . . Perche de pompier
10.15 a). . . . (p. 194) . . . . Variation
10.16. . . . . . (p. 195) . . . . La Girouette
10.17. . . . . . (p. 195) . . . . La Cabane de Tarzan
10.18. . . . . . (p. 196) . . . . La Glissade
10.19. . . . . . (p. 196) . . . . Le couloir oblique (escalade)
10.20. . . . . . (p. 197) . . . . Le couloir Vertical
10.21. . . . . . (p. 197) . . . . L'arbre oblique
10.22. . . . . . (p. 198) . . . . L'Évasion
10.23. . . . . . (p. 198) . . . . L'alpiniste
10.24. . . . . . (p. 199) . . . . Le mur
10.24 a). . . . (p. 199) . . . . Variation
10.24 b) . . . (p. 200) . . . . Variation

10.25. . . . . (p. 200) . . . . .Le mur de pneus
10.25 a). . . (p. 201) . . . . Variation
10.25 b) . . (p. 201) . . . . Variation
10.26. . . . . (p. 202) .Le Gorille
10.27. . . . . (p. 202) . . . . Le Cratère
10.28. . . . . (p. 203) . . . . La Barre fixe
10.29. . . . . (p. 203) . Les Anneaux (en fer ou en pneus)
10.30. . . . . (p. 204) . . . . .Le Poteau de Téléphone
10.31. . . . . (p. 204) . . . . Le Nid d'aigles
10.32. . . . . (p. 205) . . . . Planche d'escalade
10.33. . . . . (p. 205) .La Barricade
10.34. . . . . (p. 206) . . . . Le Pendule
10.35. . . . . (p. 206) . . . . Le Pendule double
10.36. . . . . (p. 207) . . . . Le Balancier
10.37. . . . . (p. 207) . . . . .Le Trou de Serrure
10.38. . . . . (p. 208) . . . . .Le Papillon
10.39. . . . . (p. 208) . . . . .La toile d'arraignée
10.39 a). . . (p. 209) . . . . Variation
10.39 b) . . (p. 209) . . . . Variation
10.40. . . . . (p. 210) . . . . Le Mât
10.41. . . . . (p. 210) . . . . .Le Gratte-Ciel
10.42. . . . . (p. 211) . . . . Le Dinosaure
10.43. . . . . (p. 211) . . . . Routines

PISTE D'HÉBERTISME

1-0 LA MARCHE

1.01 L'escalier roulant

1.02 La toile d'arraignée horizontale

1.03 Le Paralytique

1.04 Les échâsses

1.05 Le cascadeur

1.06 Le Poinçon

1.06 a) Variation

1.07 Le Méli-Mélo

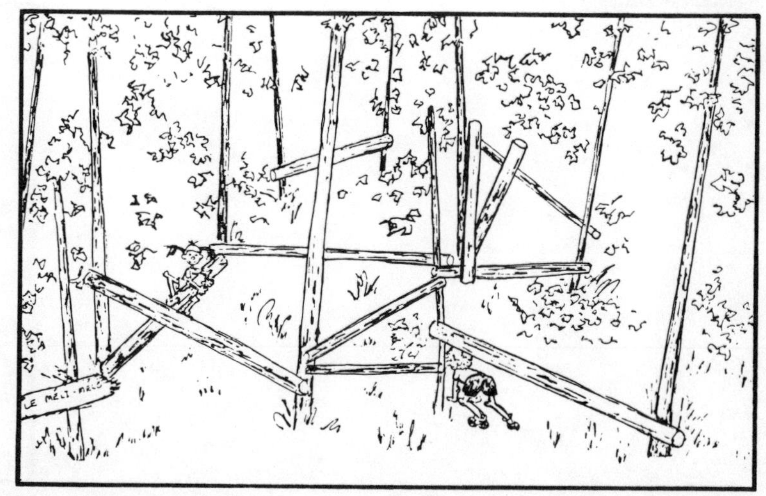

1.08 Le Singe

1.09 Le Pont des singes

1.09 a) Variation

1.09 b) Variation

1.09 c) Variation

1.09 d) Variation

1.10 La Trampoline

1.10 a) Variation

1.11 La Guenon

1.12 Les câbles symétriques

1.13 Les câbles parallèles

1.13 a) Variation

1.14 Les câbles parallèles doubles

1.14 a) Variation

1.15 Routine

2.0 LE SAUT

2.01 Le chat

2.02 Saute-moutons

SAUTE - MOUTON

2.02 a) Variation

2.03 Le bûcher

2.04 Saut simple

2.04 a) Variation

2.05 | Le soldat

2.06 La Gerboise

2.07 Le rac à poules

2.08 Skippy

2.09 Le Ballon

2.10 La Fosse

2.11 Le damier

2.11 a) Variation

2.11 b) Variation

2.12 Le Kangourou

2.13 Les Poutres alternées

2.14 La grenouille

2.15 Le Soubresaut

2.16 Les poches de sable

2.17 La Chenille

2.18 Le ponceau

2.19 La libellule

2.20 La sauterelle

2.21 Le plongeon

2.22 Mary Poppin

2.23 Aire de sauts

2.24 La corde à danser

2.25 Saut de barils

2.25 a) Variation

2.26 L'échaffaud

2.27 Les "X"

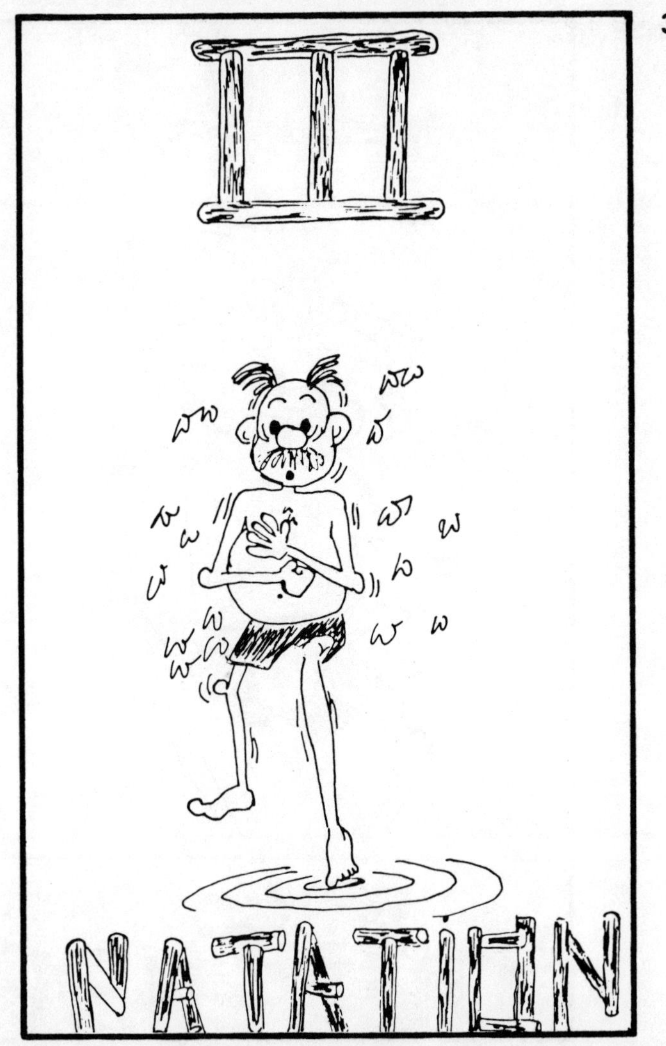
NATATION

4.0 DÉFENSE

V
QUADRUPÉTIE

5.01 Tunnel traditionnel

5.01 a) Tunnel double

5.01 b) Tunnel en tipi

5.01 c) Tunnel en demi-cercle

5.01 d) Tunnel à sorties multiples

5.01 e) Tunnel en tuyaux

5.01 f) Tunnel en barils

5.01 g) Tunnel à hauteurs variables

5.02 L'embûche

5.03 Le repaire du naim

5.04 Le Lombric

5.05 Le slalom en rampant

5.06 La tranchée

5.07 L'égoût

5.08 L'échelle malade

5.09 Le boa

5.09 a) Variation

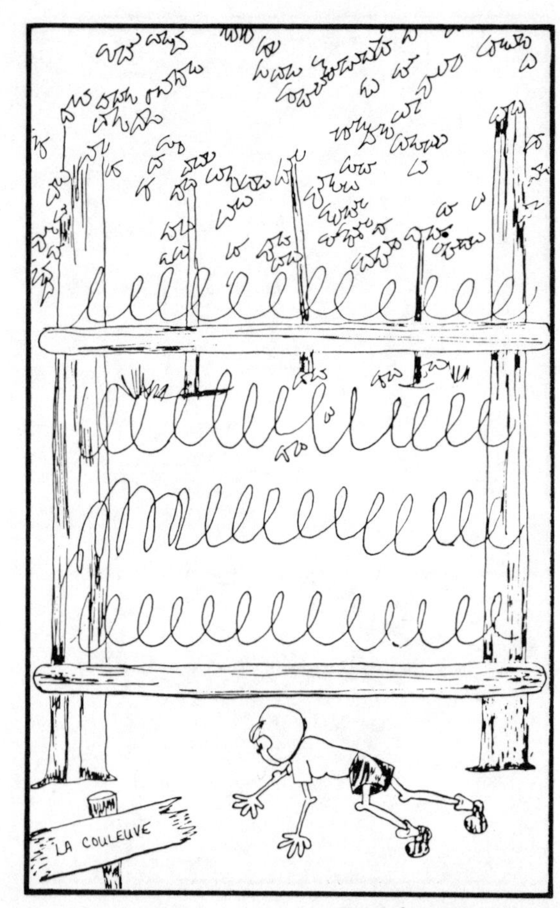

5.10 La couleuvre

5.11 Le perchoir

5.12 Serpentin horizontal

5.13 Serpentin vertical

5.13 a) Variation

LES GALLONS

5.15 Le Mille-Pattes

5.15 a) Variation

6.0 LA COURSE

6.1 La toupie

6.02 Poteaux de slalom

6.03 L'arc en ciel

6.04 La cage aux lions

6.05 Piste à obstacles

6.06 Le fil d'Arianne

7.0 L'ÉQUILIBRISME

7.01 Les Trapèzes

7.02 L'Orang-outang

7.03 Les Pattes d'éléphants

7.03 a) Variation

7.03 b) Variation

7.04 Le sentier du diable

7.05 Le tapis maudit

7.06 L'escalier

7.07 Les Pattes de singe

7.08 Le trottoir

7.09 Routine

7.10 Routine

7.11 Le Pneumatique

7.12 Poutres d'équilibre

7.13 La marche du Papou

7.14 La voie ferrée

7.15 Les traverses

7.15 a) Variation

7.16 Le Ravin

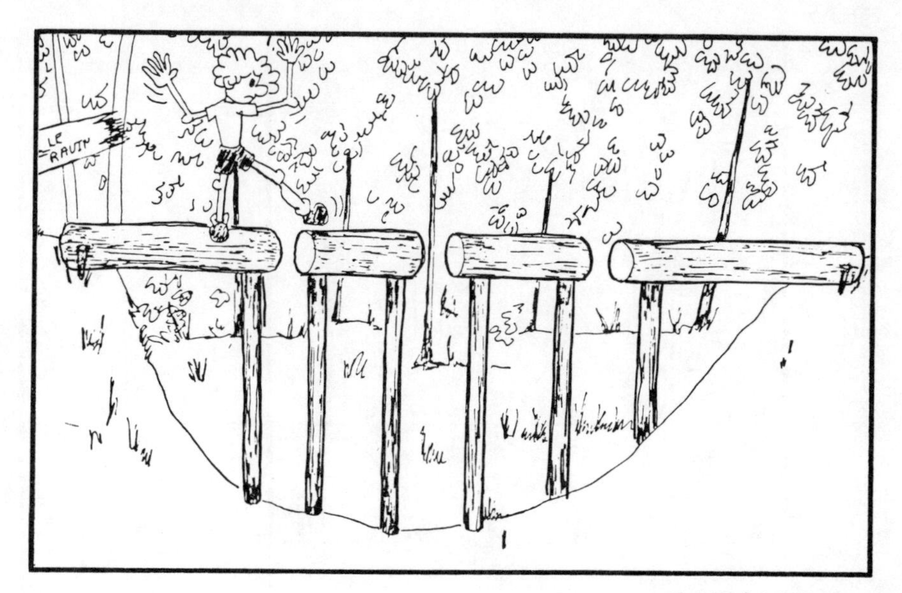

7.16 a) Variation

7.16 b) Variation

7.17 Le Pont Zoulou

7.18 Le Grand écart en bois

7.18 a) Le Grand écart en corde

7.19 La Berceuse

7.20 Le Pneu

7.21 L'angle aigu

7.22 La Souricière

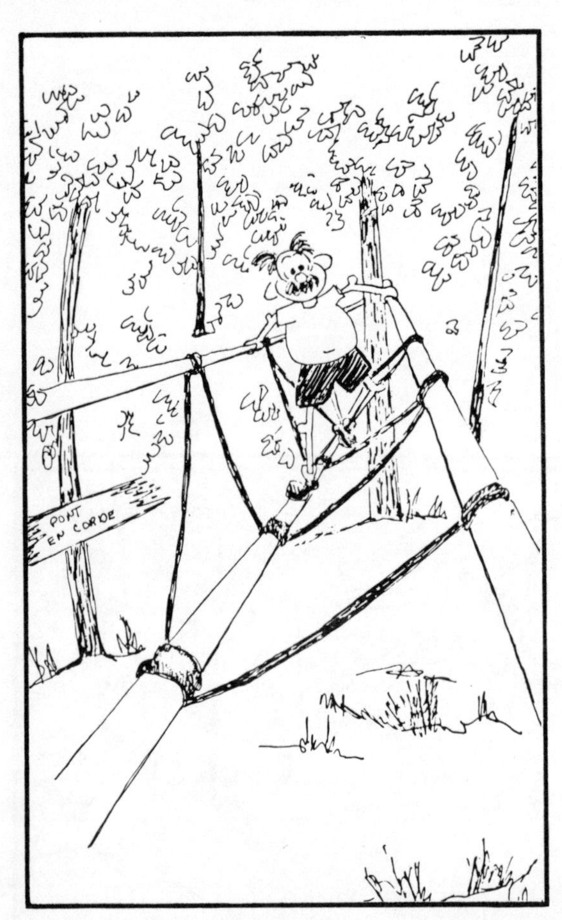

7.23 Le pont en corde *OU* Pont Chinois

7.23 a) Variation

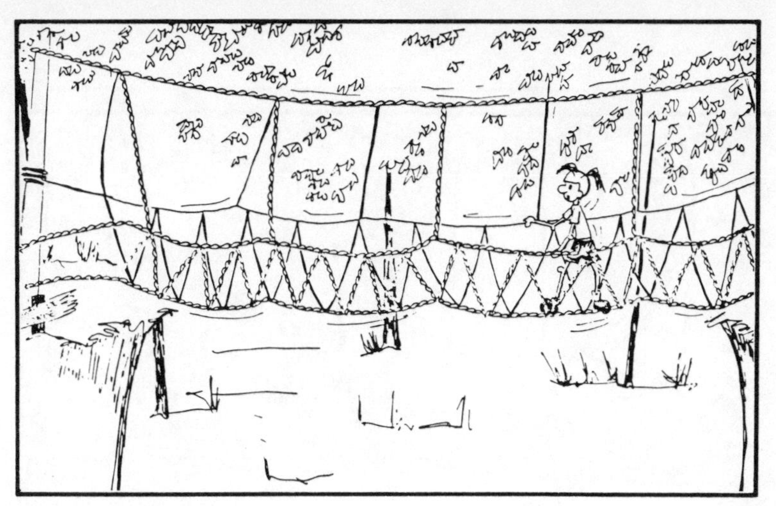

7.23 b) Variation

7.23 c) Variation

7.24 La Balançoire *OU* Le Draveur

7.25 L'attrappe-nigauds

7.26 Le fil de fer

7.27 Le Rodéo

7.28 La Ballustrade

7.29 L'Écartèlement

7.30 La Bascule

7.30 a) Variation

7.31 Le Petit Poucet

7.32 Le Sapin Mort

7.33 Le Marais

7.34 Système d'équilibre

7.35 L'arbre

7.36 L'escabaut

7.36 a) Variation

7.36 b) Variation

7.37 La Passerelle

7.38 Le Hamac

7.39 Les Pas de Loup

7.40 La Dégringolade

7.41 Le Suicide

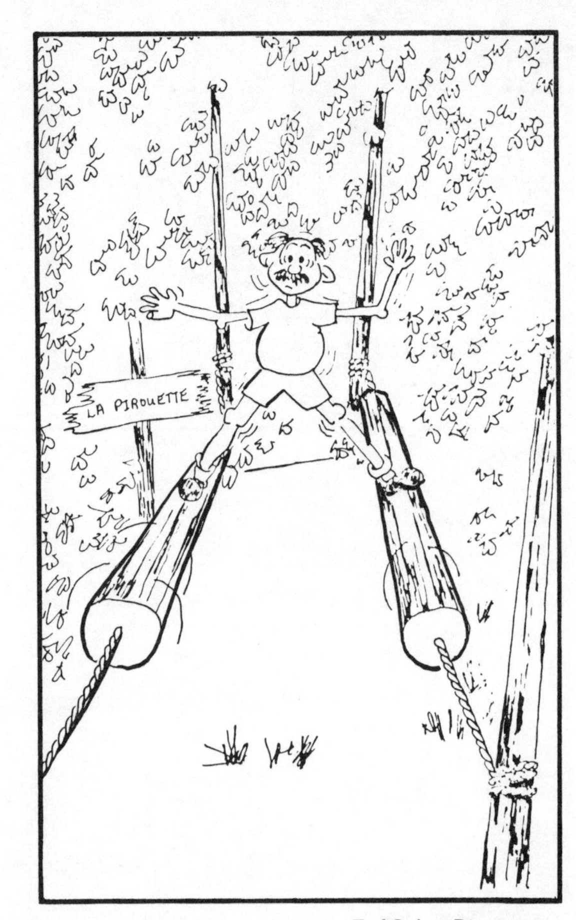

7.42 La Pirouette

7.43 La Virevolte

7.44 Le Rouleau à pâte

7.44 a) Variation

7.45 Le Baril

7.46 Le Pont des anges

7.46 a) Variation

7.47 Le Pont Roulant

7.48 Le pont Tremblant

7.49 Le Losange

7.49 a) Variation

7.50 La digue de Castors

7.51 Le Dôme de Pneus

7.51 a) Variation

7.51 b) Variation

7.52 Les Tremplins

8.0 LE LANCER

8.01 Le Bulzail fixe

8.01 a) Le Bulzail mobile

8.02 Les Canettes

8.03 La Bouée de sauvetage

8.03 a) Variation

8.04 La soucoupe

9.0 LE LEVER ET LE PORTER

9.01 Les Oeufs d'Autruche

9.02 L'ascenseur

9.02 a) Variation

9.03 La Tire de Chevaux

9.03 a) Variation

9.04 Souque à la corde

9.04 a) Variation

9.05 Le Bouc

9.06 La Traîne

9.07 Le Buffle

9.08 Le téléphérique

9.08 a) Variation

9.08 b) Variation

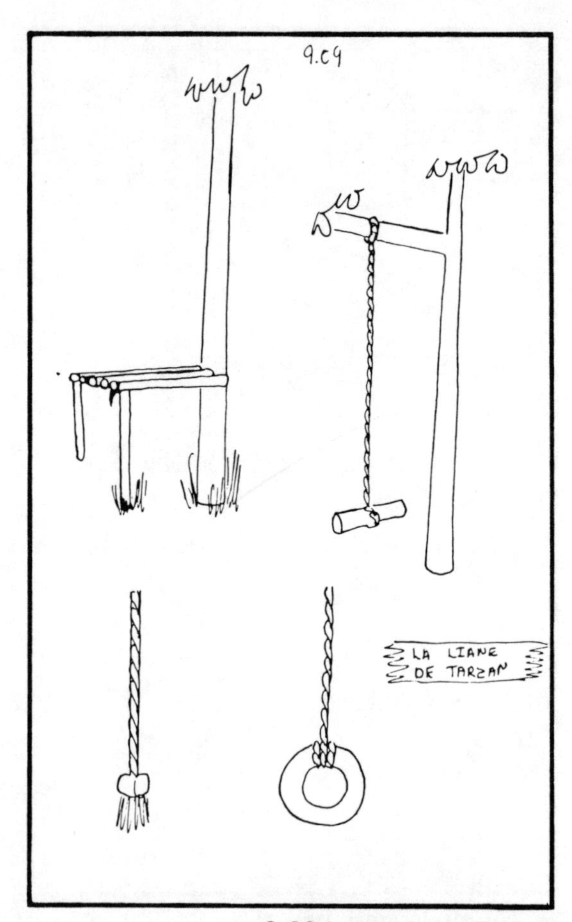

9.09 La Liane de Tarzan

9.09 a) Variation

9.09 b) Variation

9.09 c) Variation

9.10 Routine

9.11 La Chaise roulante

9.12 La Poulie

9.13 Le Poussoir

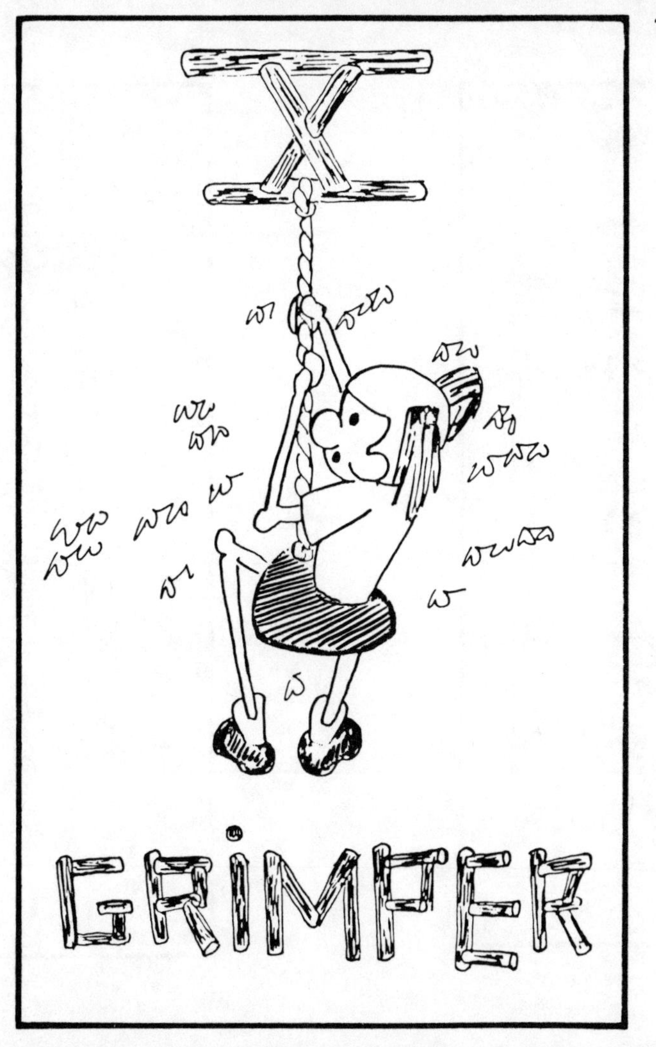
GRIMPER

10.01 Échelles de noeuds

10.02 Échelle de corde

10.03 Variation

10.04 Échelle de rondins

10.05 Câble lisse

10.06 L'étrier

10.07 La roche

10.08 La Paroi

10.09 Le Monte-Charge

10.10 L'épi

10.11 L'Anneau d'or

10.11 a) Variation

10.12 La Vigie

10.13 L'échelle de Pneus

10.13 a) Variation

10.14 Le Câble oblique

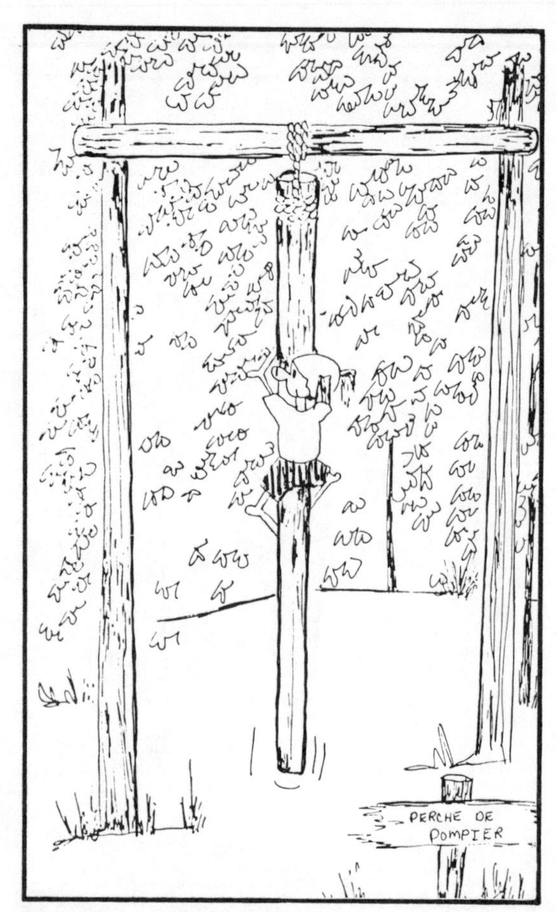

10.15 Perche de pompier

10.15 a) Variation

10.16 La Girouette

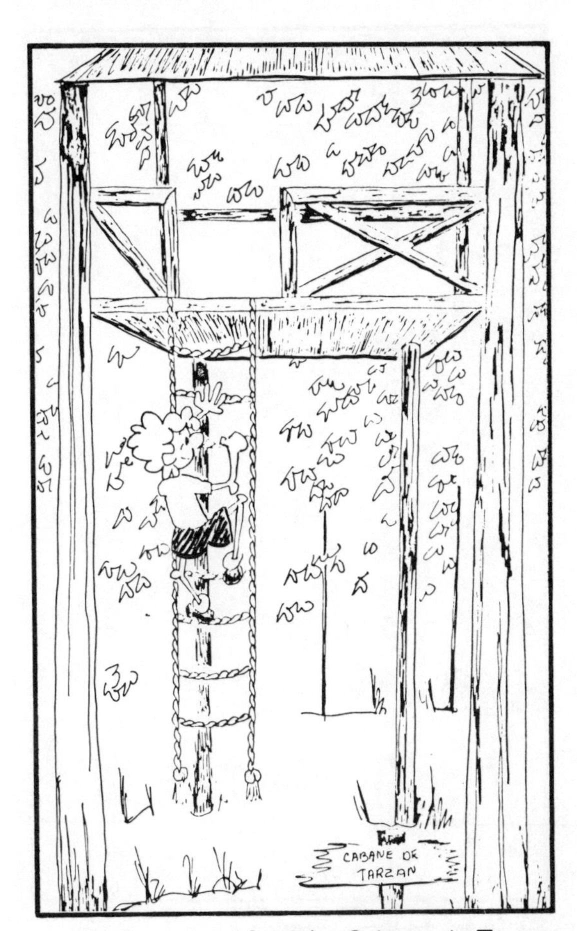

10.17 La Cabane de Tarzan

10.18 La Glissade

10.19 Le couloir oblique (escalade)

10.20 Le couloir Vertical

10.21 L'arbre oblique

10.22 L'Évasion

10.23 L'alpiniste

10.24 Le mur

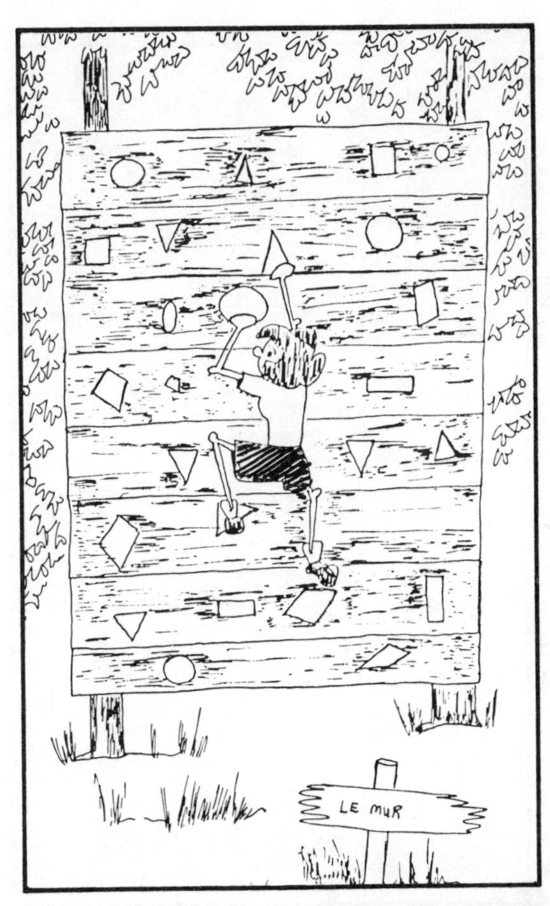

10.24 a) Variation

10.24 b) Variation

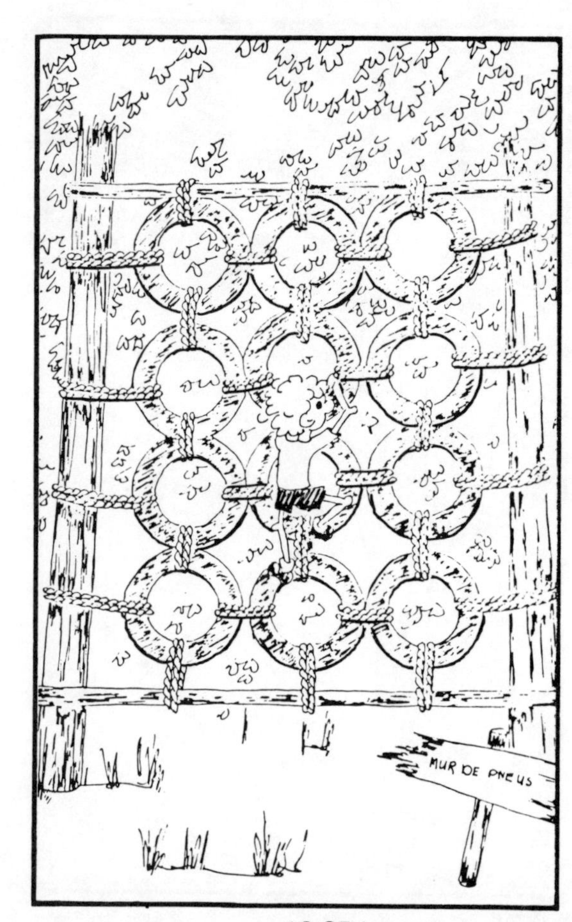

10.25 Le mur de pneus

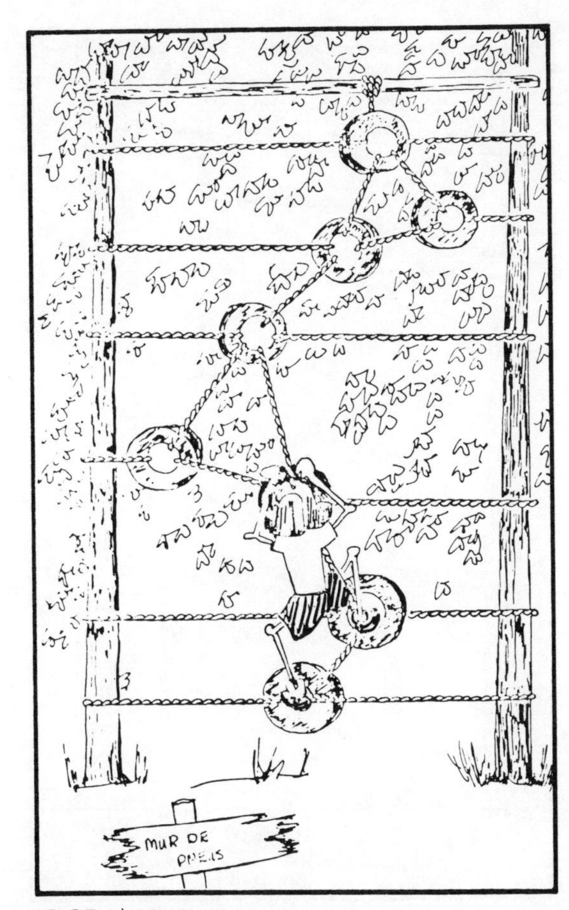

10.25 a) Variation

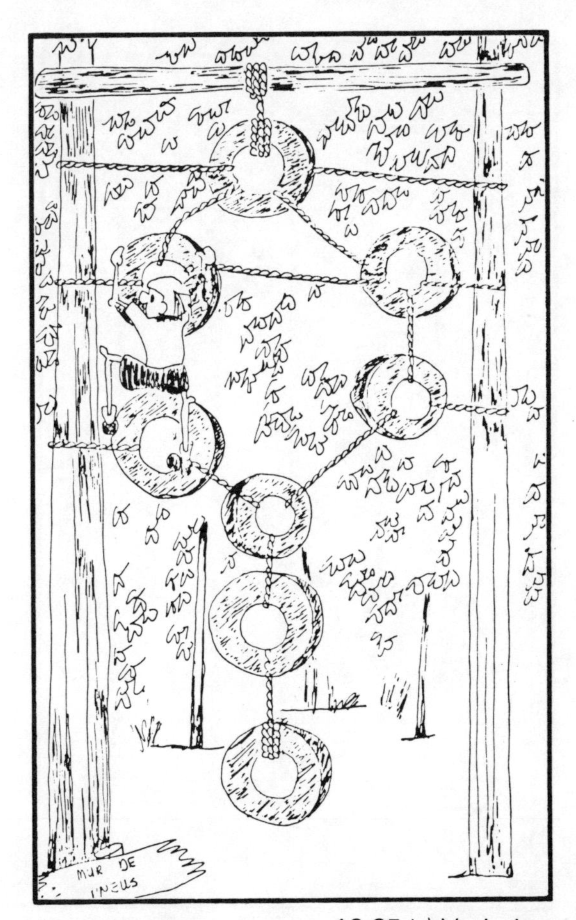

10.25 b) Variation

10.26 Le Gorille

10.27 Le Cratère

10.28 La Barre fixe

10.29 Les Anneaux (en fer ou en pneus)

10.30 Le Poteau de Téléphone

10.31 Le Nid d'aigles

10.32 Planche d'escalade

10.33 La Barricade

10.34 Le Pendule

10.35 Le Pendule double

10.36 Le Balancier

10.37 Le Trou de Serrure

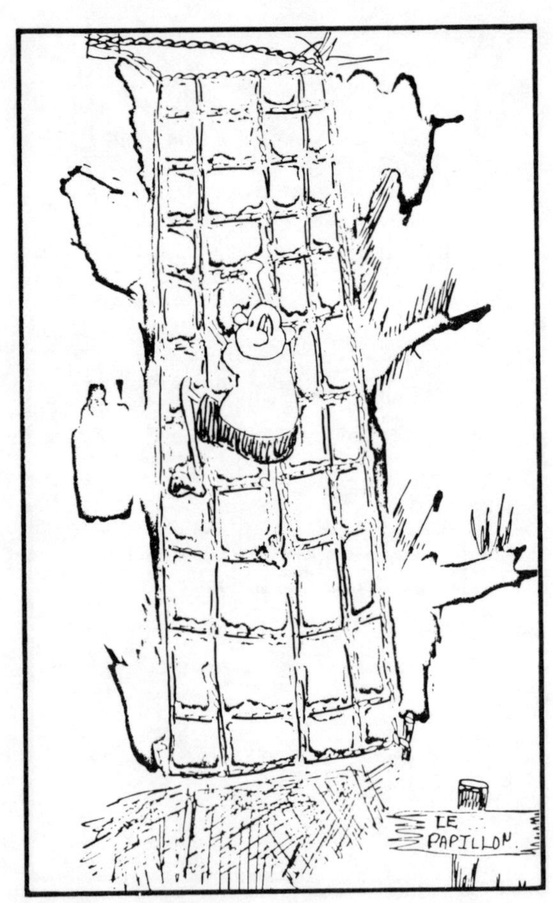

10.38 Le Papillon

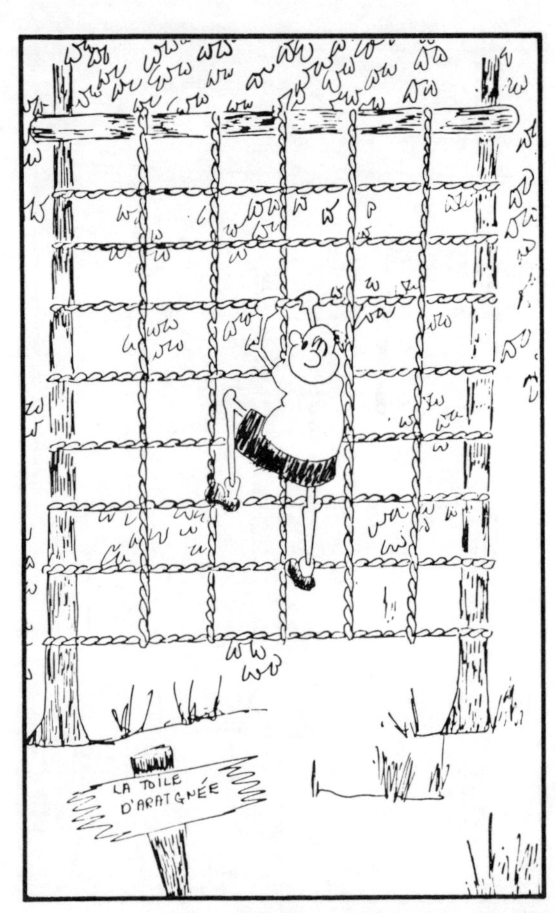

10.39 La toile d'arraignée

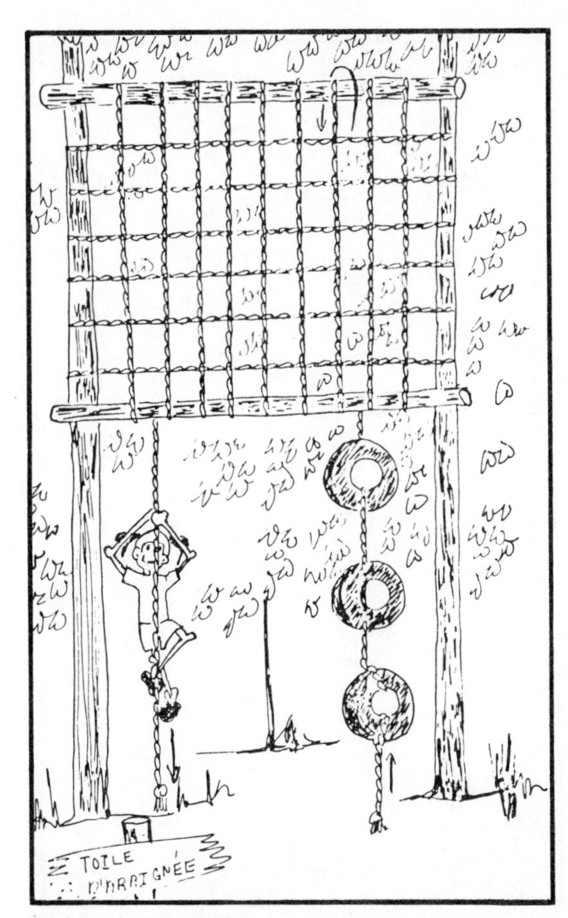

10.39 a) Variation

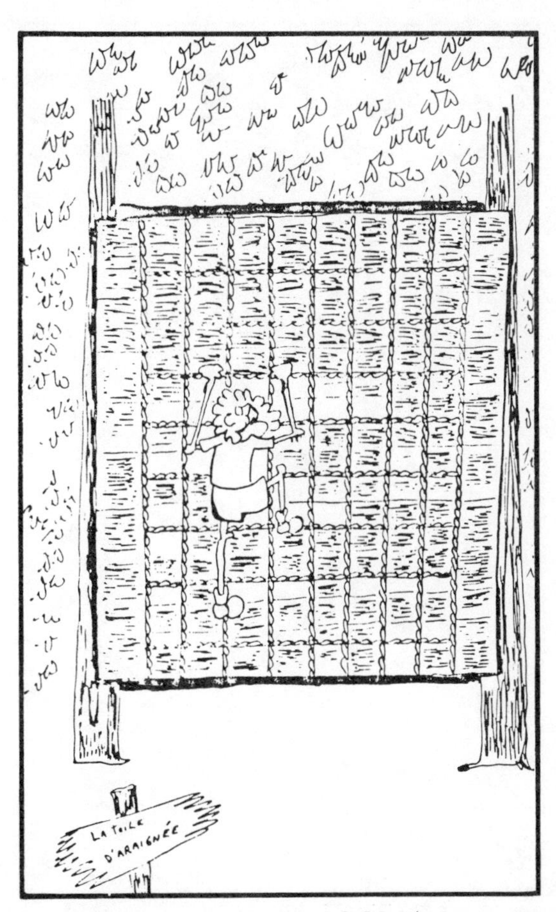

10.39 b) Variation

10.40 Le Mât

10.41 Le Gratte-Ciel

10.42 Le Dinosaure

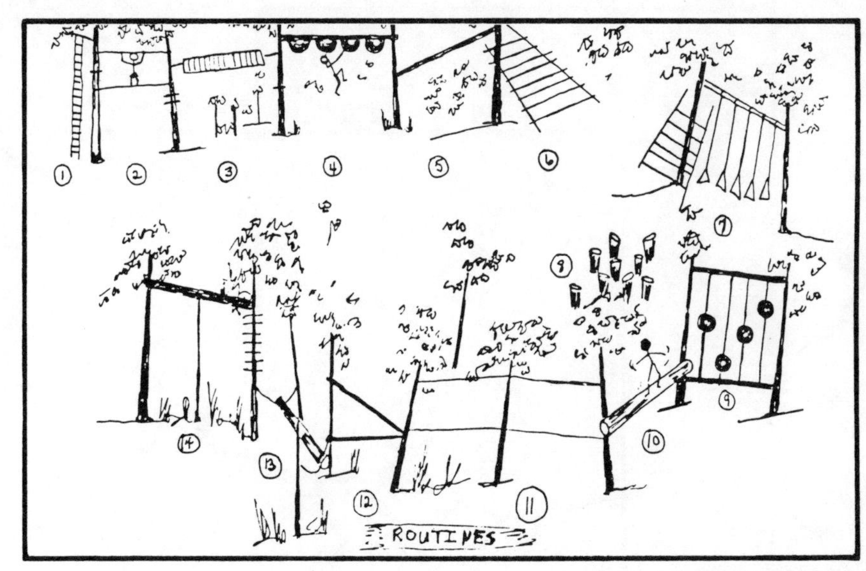

10.43 Routines

PISTE D'HÉBERTISME
FIN.

VIII·APPENDICES

APPENDICE I

Les stages d'hébertisme.

A) L'horaire en général

La formation d'instructeurs et de spécialistes dans les disciplines de plein-air ne doit pas être laissée au hasard. C'est pourquoi chaque fédération organise des stages de formation et de perfectionnement pour ceux qui devront enseigner les rudiments de ces disciplines.

Mais quelle est la situation en hébertisme ? L'Hébertisme est "l'enfant pauvre du plein-air". J'ai déjà signalé de nombreuses lacunes. Comment peut-on devenir spécialiste en hébertisme? S'improvise-t-on responsable des cours d'hébertisme ? Comme toute autre discipline, l'hébertisme a ses principes directeurs et sa philosophie. Mais l'ignorance nous porte souvent à croire qu'il n'y a rien à apprendre en hébertisme. Pourtant, en hébertisme, un stage de formation s'impose.

Il semble qu'actuellement, seule l'association des camps du Québec (1415 est Jarry, Montréal) donne annuellement un stage d'hébertisme. Mais que vaut-il, par qui est-il donné, qu'y enseigne-t-on ? autant de questions sans réponse. J'ai communiqué dernièrement avec l'association des camps pour obtenir plus de précisions sur leur stage annuel d'hébertisme. Mais on n'a pas pu me renseigner. La seule information que j'ai pu obtenir, c'est que si je voulais m'inscrire au stage de l'été prochain, je devais le faire au mois d'avril 1976. J'ai aussi appris que ce stage se donnait en juillet. Comment peut-on apprendre à connaître la discipline, si l'organisme qui donne le stage ne peut pas me renseigner sur sa date, le lieu où il est donné ?

Dans les quelques lignes qui suivent, je vous livrerai mes vues sur ce que devrait être un stage en hébertisme capable de former des responsables qualifiés. Dans ces stages, il faut penser le programme en fonction des futures activités du stagiaire. À mon sens, il est impensable qu'un stagiaire ne sache pas installer des appareils à la fin du stage.

Un stage profitable devrait donc durer au moins 10 jours. Il pourrait avoir lieu sur une base de plein-air qui aurait ainsi la chance de renouveler ou d'améliorer la piste, rapidement et à peu de frais.

La base de plein-air qui accueillerait ainsi un stage en hébertisme pourrait fournir le matériel nécessaire pour l'aménagement du parcours. (scies, hâches, câbles etc.) Et les stagiaires se chargeraient de fixer les installations.

Mais quand on parle d'un stage, quelqu'il soit, l'enseignement dispensé doit être concentré. Il faut s'en tenir à un horaire rigide, préparé longtemps à l'avance.

Les deux premiers jours du stage devraient être consacrés à une approche théorique de l'hébertisme. On pourra alors familiariser les stagiaires avec les principes directeurs posés par Hébert, les buts de la discipline, sa conception ainsi que son historique. Ces données sont essentielles, et doivent être assimilées avant de passer aux étapes suivantes. Il serait peut-être souhaitable de reproduire les écrits les plus significatifs d'Hébert et de laisser l'opportunité aux stagiaires de méditer sur ces concepts.

La théorie assimilée, il est alors possible de la mettre en pratique. Ainsi, le 3ième jour sera consacré à la conception de plan d'appareils à partir des 10 catégories de mouvements. Il faudra, autant que faire se peut, tenter d'imaginer de nouveaux appareils, et ne pas se contenter d'imiter les appareils existants.

Le lendemain, les stagiaires devraient préparer des maquettes des appareils.

Les 5 jours suivants seront consacrés uniquement à l'aménagement d'une piste basée en grande partie sur les maquettes imaginées par les stagiaires. Durant la première journée de la construction, il faudra choisir le site à utiliser, repérer les endroits stratégiques, et identifier les arbres à utiliser. Il faudra par la suite tracer le sentier et le dégager des obstacles dangereux. La seconde journée sera utilisée pour compléter le sentier (étendre du bran de scie, etc) et on pourra aussi préparer les emplacements choisis pour les appareils. Et les trois dernières journées de construction seront consacrées à l'installation des appareils. Il faudra toutefois donner quelques instructions aux stagiaires sur les méthodes de construction, et sur les techniques de fixation des câbles.

Lorsque les travaux préliminaires ont été bien faits et que le matériel est disponible, trois jours devraient suffire aux stagiaires pour aménager une piste de dimension raisonnable.

L'avant-midi de la dernière journée du stage sera consacré à l'identification des appareils. On en profitera aussi pour dresser un plan de la nouvelle piste. Et l'après-midi le responsable du stage donnera à ses stagiaires un cours d'hébertisme sur la nouvelle piste, en leur refilant des techniques de pédagogie et en leur enseignant aussi les précets de sécurité indispensables.

Une fois le stage complété, on devrait remettre aux stagiaires une petite brochure contenant les renseignements les plus importants: historique, principes directeurs, sécurité, buts et conception de la discipline, techniques pédagogiques, plans d'appareils existants, et bibliographie.

CONCLUSION.

Le stagiaire qui a complété avec succès le stage d'hébertisme a pris conscience de la complexité de la discipline, de ses fondements et de ses buts. Mais il est aussi rompu aux techniques d'aménagement d'une piste. Un stage tel que celui-ci, est le seul moyen d'uniformiser la discipline à travers la province, et seule une telle uniformisation permettra un développement rationel et une progression rapide de la discipline.

B) L'horaire détaillé

Après avoir tracé les grandes lignes de l'horaire général, il me faut maintenant préciser certains points. Premièrement, pour être enrichissant, un stage doit être intensif. Ainsi, pendant 10 jours, les stagiaires doivent vivre d'hébertisme, penser hébertisme, parler hébertisme et manger de l'hébertisme. La matière ainsi prodiguée de façon intensive pourra être assimilée et approfondie dans les semaines qui suivent le stage, au gré des expériences de chacun.

Organisation

L'organisation du stage doit être bien rodée; ainsi il faudra tout d'abord choisir la base de plein-air qui sera utilisée. Les critères pour fonder ce choix seront établis en fonction des possibilités offertes. Par exemple, le site offert pour l'aménagement du parcours devrait être en conifères. Il faut ensuite planifier les repas en fonction des exercices à exécuter. Il serait donc à conseiller de recourir aux services de diététistes. Dans un autre temps, il faut aussi s'assurer de la présence du matériel nécessaire; ainsi, le directeur technique du stage qui a la charge de l'organisation purement matérielle devra se procurer les câbles en quantité suffisante, les fils de fer si requis, ainsi qu'une panoplie d'outils indispensables tels marteaux, scies mécaniques, clous, corde à brêlage, etc.

Mais il faut aussi prévoir le matériel nécessaire à la réalisation des *maquettes d'appareils,* la peinture et le bois nécessaire pour les pancartes identificatrices, etc. Rien ne doit être laissé au hasard; en effet les contre-temps mettent souvent le stage en péril. Le responsable du stage se chargera pour sa part de prévoir un horaire détaillé ainsi que le contenu de ses scéances de formation.

Horaire

Les 2 premiers jours du stage devraient être réservés à une *prise de contact théorique avec la discipline.* Ainsi, le premier jour, on retracera l'historique de la discipline ainsi que des principes directeurs. Le lendemain, on pourra insister sur les différents aspects de l'hébertisme; il pourra alors être question des composantes de la discipline, savoir le développement physique complet d'une façon non conventionnelle ainsi que l'acquisition de qualités viriles nécessaires à l'homme.

Pour les deux premiers soirs, le responsable fera polycopier les pages les plus éloquentes de Georges Hébert. Ces textes seront distribués aux stagiaires qui les liront, les analyseront et en discuteront par groupes pour tenter de saisir à travers les écrits du maître, les fondements de la philosophie hébertiste.

La troisième journée est réservée *aux plans d'appareils.* (Il est à noter que les stagiaires sont divisés en groupes de 2 pour toute la durée du stage; cette méthode de travail présente l'avantage de favoriser les échanges et de stimuler l'immagination des participants; deux têtes ne valent-elles pas mieux qu'une seule?)

On sait que l'hébertisme est divisé en 10 catégories d'exercices ou mouvements naturels. Toutefois, deux d'entre elles (la défense et la natation) sont habituellement ignorées en hétertisme du fait qu'elles constituent généralement des disciplines spécialisées dans les bases de plein-air. Le stage sera donc axé sur les 8 autres catégories. L'avant-midi de cette troisième journée sera réservée à la *confection de plans d'appareils* recréant quatre catégories d'exercice. (v.g. la course, le saut, la quadrupétie — ramper et à 4 pattes — et le lancer). Chaque équipe devra donc immaginer 4 appareils différents dans l'avant-midi; après le diner, les équipes se remettront à la tâche pour tirer les plans de 4 autres appareils représentant les 4 autres catégories d'exercice. (grimper, marche, lever et porter, équilibre). À la fin de la journée, chaque équipe devra donc avoir établi les plans de 8 appareils différents et ORIGINAUX.

La soirée de cette troisième journée sera consacrée à *l'évaluation des appareils* immaginés et à l'étude des 8 mouvements étudiés. Il sera aussi possible d'obtenir pour l'occasion les services d'un spécialiste en éducation physique ou en kinantropologie qui pourra présenter d'une façon scientifique la décomposition et les variantes des mouvements pratiqués sur les appareils travaillés durant la journée.

Le lendemain, on se dirige aux arts plastiques, où, sous la conduite d'un expert en la matière, les stagiaires confectionneront *les maquettes des plans réalisés la veille:* 4 maquettes l'avant-midi et le même nombre l'après-midi. La soirée pourra être réservée à l'analyse des maquettes; c'est à cette occasion qu'il faudra évaluer les difficultés de construction, et l'utilité de l'appareil conçu. Il faudra aussi baptiser chacun des nouveaux appareils, en tentant de leur donner un nom qui suggère le mouvement à être exécuté. À la fin de la soirée, on pourra commencer à *peindre les pancartes identificatrices* et y apposant le nom choisi pour l'appareil.

Chaque groupe devrait alors être conscient du matériel nécessaire à l'érection de ses appareils, et se préparer en conséquence. Cette tâche peut être effectuée durant les temps libres (!) des stagiaires.

Les cinq jours qui suivent sont consacrés à *l'amé-*

nagement de la piste. Durant la première avant-midi, chaque groupe devra choisir le futur site de ses appareils. Et on pourra alors, dans l'après-midi tracer tous ensemble le sentier global de la future piste. La soirée pourra être réservée au visionnement de films, à des discussions ainsi qu'aux techniques de constructions d'appareils; il serait peut-être bon d'enseigner aux participants comment se servir des outils de façon sécuritaire. (v.g. la scie mécanique)

Les stagiaires, lors de la seconde journée de construction, doivent déblayer le sentier des obstacles inutiles et dangereux et le rendre sécuritaire sans toutefois le dénuder totalement de sa beauté naturelle première. On en profitera aussi pour tapisser le sentier de bran de scie. La soirée sera réservée au transport du matériel nécessaire aux sites choisis. Ainsi, chaque groupe devra préparer son emplacement pour être en mesure de débuter la construction dès le lendemain.

Il reste maintenant 3 jours à chaque groupe pour réaliser ses 8 appareils. Si les travaux préliminaires ont été bien effectués, ce laps de temps devrait être amplement suffisant. Il faut aussi noter que les groupes qui ont immaginé des appareils plus long à installer pourront se faire aider par les autres en cas de besoin.

Les soirées de ces trois journées seront aussi bien remplies. Le premier soir, on visionnera des diapositives d'appareils déjà érigés sur les pistes de la province. On les critiquera ensuite et on évaluera leur utilité fonctionnelle. Lors de la deuxième soirée, on pourra inviter quelques spécialistes qui traiteront des possibilités de l'hébertisme, au niveau de la réhabilitation physique, (v.g. pour cardiaques). Il sera aussi possible, par la même occasion de traiter de *l'hébertisme d'hiver* et des difficultés qu'il peut susciter. La troisième soirée sera réservée à mettre la dernière touche aux installations. Les appareils devront être complétés et les identifications bien fixées près de chaque appareil.

Vous remarquez que l'horaire bien que chargé, doit être flexible. (voir A) Horaire général)

Lors de la dernière journée du stage, il faut développer les *qualités pédagogiques du futur spécialiste.* Puisque le stage devrait se donner au mois de mai, les enfants sont encore aux écoles. Il est donc possible d'inviter une école des environs à venir passer une journée sur la nouvelle piste d'hébertisme. Chaque groupe de stagiaire devra alors dispenser un cours à ces écoliers. Il sera alors possibles d'évaluer leurs qualités pédagogiques. Cet enseignement devrait avoir lieu durant l'après-midi de la dernière journée. L'avant-midi aura été consacré aux *techniques pédagogiques* et à la *sécurité.* On enseignera aux stagiaires comment motiver les jeunes sur tel ou tel appareil, comment assurer les parades et réchappes, comment agir pour respecter toutes les normes de sécurité.

Avec les jeunes, ce sera donc la mise en application de ce qui vient d'être appris. Et après ces cours d'hébertisme, on distribuera aux stagiaires une *brochure résumant l'enseignement dispensés* durant le stage et *illustrant plusieurs appareils* existants. Mais on ne devrait pas distribuer les brochures au début du stage, puisque les participants auraient trop facilement tendance à copier ou à s'inspirer de ce qu'ils ont sous les yeux. La brochure contiendra aussi une bibliographie utile qui permettra à ceux qui veulent approfondir leurs connaissances en la matière de retrouver facilement les oeuvres déjà publiées sur l'hébertisme.

Évaluation

Durant le stage, les instructeurs évalueront quotidiennement les stagiaires. Mais *sur quels critères* se baseront-ils? Pour élaborer des critères d'évaluation, il faut toujours avoir présent à l'esprit, le rôle que le "futur spécialiste" sera appelé à jouer sur la base de plein-air où il sera engagé. Il faut donc tenir compte des *appareils réalisés* (construction, solidité, immagination, utilitarisme et sécurité) de leur *compréhension de la discipline* (qui a pu être remarquée lors de l'analyse de textes), de leurs *qualités de leadership,* de leurs *qualités pédagogiques* (notées lors de la leçon donnée aux jeunes écoliers) ainsi que de *l'intérêt manifesté au cours du stage,* et finalement sur *la connaissance de toutes les mesures de sécurité,* ainsi que sur *l'exécution des mouvements.*

Brevets et diplômes

Après le départ des stagiaires, les instructeurs se réunissent et procèdent à l'évaluation personnelle de chaque participant. Cette évaluation mènera à l'attribution éventuelle des brevets et diplômes. On pourrait diviser les résultats en trois catégories: (1) SPÉCIALISTE (2) INITIATEUR (3) AIDE-INITIATEUR.

Le spécialiste sera celui qui aura démontré des qualités exceptionnelles en hébertisme. Il sera très qualifié pour assumer la responsabilité d'une piste d'hébertisme. Ensuite, l'initiateur. Bien que moins qualifié que le premier, il pourra toutefois diriger les leçons d'hébertisme. Il aurait avantage à suivre à nouveau le stage l'année subséquente pour obtenir son brevet de spécialiste. Et finalement, le brevet d'aide-initiateur. Cette personne ne devrait pas assumer la responsabilité d'une piste d'hébertisme. Elle pourra toutefois aider le spécialiste et l'initiateur à prodiguer l'enseignement hébertiste.

Conclusion

Il est facile de constater qu'un stage d'une telle envergure nécessite des fonds considérables. Il serait donc indispensable d'obtenir une subvention gouvernementale pour défrayer les coûts élevés du matériel, de l'hébergement, et des instructeurs. Pour mettre sur pied un tel stage, une longue planification s'impose. *Il serait aussi important de placer ce stage sous la coupole d'une organisation reconnue, afin que les brevets soient significatifs.* Et lorsque la fédération québécoise d'hébertisme sera réalité, elle pourra alors assumer la responsabilité d'un tel déploiement d'énergies.

APPENDICE II
Les câbles

Comme tous le savent maintenant, les câbles jouent un rôle primordial dans l'aménagement d'une piste d'hébertisme. Il faut donc se montrer circonspect dans le choix des câbles à utiliser. Les quelques lignes qui suivent ont pour but de présenter les avantages et inconvénients des différentes sortes de câbles que l'on peut utiliser dans l'aménagement d'un parcours hébertiste.

Quels sont les différents câbles offerts au constructeur de piste ? On a tout d'abord ce que j'appellerai le câble ordinaire. Ensuite on retrouve aussi ce même câble qui a été huilé. Il y a aussi le câble de nylon jaune, les câbles d'acier, les câbles d'acier recouvert de caoutchouc, la corde à brêlage et finalement les chaines.

A) Câble ordinaire.

Le câble ordinaire est celui que l'on utilise habituellement sur les pistes d'hébertisme. Les grosseurs les plus utiles seront le câble de 1 po. de diamètre et celui de ½ po. de diamètre. Ce câble est facile à manipuler, et s'avère très solide, tout en n'étant pas trop rude pour les mains. Il a toutefois tendance à "s'effilocher"; il faut donc le surveiller de près. Ce câble n'est pas très résistant aux intempéries; il faut donc le retirer après la saison estivale. Si la piste est utilisée pour l'hébertisme d'hiver, une vérification périodique s'impose, et les changements de câbles devront être plus fréquents. Une autre caractéristique de ce câble, c'est qu'il a tendance à s'étirer. Ainsi, il faut souvent le reserrer lorsqu'on l'utilise pour des appareils comme le téléphérique par exemple. Mais il n'est pas glissant ce qui permet une meilleure prise. Ce câble s'avère toutefois assez dispendieux; en effet, aux dernières nouvelles, le câble de 1 po. de diamètre se détaillait à cinquante cents du pi. Mais il ne faut pas prendre de risque avec les câbles, et toujours utiliser des câbles neufs. Les structures de câbles devraient être confectionnées avec du câble de 1 po. de diamètre alors que pour le reste, le câble de ½ po. s'avère approprié. Ainsi, pour les côtés de l'échelle de corde, la liane de Tarzan, etc, on utilisera le câble de 1 po.

B) Câble ordinaire huilé.

Le câble ordinaire huilé a pour avantage d'être plus résistant que le câble non huilé. Il sera toutefois plus glissant, dégagera une odeur assez forte et sera très rude au contact des mains. On utilisera l'huile de lin pour cette opération. Ce câble est recommandé pour les appareils tel le téléphérique, les côtés des échelles de corde, en un mot, pour tous les endroits qui ne viennent pas en contact soit avec les mains ou les pieds. Le câble qui aura ainsi été huilé sera plus résistant aux intempéries, et nécessitera un entretien moins constant.

C) Câble de nylon jaune.

Claude Cousineau, dans sa plaquette intitulée *HÉBERTISME*, écrivait que le câble de nylon jaune devrait être utilisé le moins souvent possible sur une piste d'hébertisme, car il provoquait un contraste trop prononcé avec l'environnement. Si on abonde dans le même sens que M. Cousineau, on pourrait utiliser le câble de nylon blanc comme palliatif. Mais serait-ce mieux ? À mon avis, la raison principale pour laquelle le câble de nylon (jaune ou blanc ou . . . rose) devrait être banni des pistes d'hébertisme, c'est à cause de sa substance même; en effet, il s'avère très dangereux pour les mains, puisque beaucoup plus coupant. De plus, il est moins maléable, et de ce fait, il est plus difficile d'y faire des noeuds. Il ne faut pas oublier qu'il est plus glissant que le câble ordinaire. Ainsi, pour toutes ces raisons et bien d'autres (ex: le prix prohibitif) on ne devrait pas l'utiliser sur une piste d'hébertisme. Les tenants de la thèse adverse soutiendront qu'il est très résistant. Évidemment, ceci est indéniable, mais cette résistance peut être obtenue avec d'autres câbles.

D) Les câbles d'acier.

Pour certains appareils, l'utilisation de câbles d'acier est indispensable. (ex: le fil de fer). L'avantage indéniable de ce câble réside dans sa solidité légendaire. Il faut toutefois payer pour cette solidité; en effet, ces câbles sont assez difficiles à installer, et à tendre. Ces câbles ne devraient pas être destinés à servir d'appui aux mains des participants, car il peut être coupant. Mais pour ériger des structures solides et durables, (ex: le pont suspendu) c'est le câble idéal. Pour le FIL DE FER, on utilisera un câble d'acier d'un diamètre de ½ po. Pour les autres appareils, le câble d'un diamètre de ¼ de po. semble amplement suffisant. Mais lorsque l'on veut utiliser ces câbles, il faut aussi prévoir la façon dont on les fixera . . .

E) Les câbles d'acier recouverts de caoutchouc.

Il s'agit des mêmes câbles dont nous venons de traiter, sauf qu'on les a recouvert de caoutchouc. L'expérience démontre que la meilleure façon de les recouvrir, c'est d'utiliser un vieux boyau d'arrosage dans lequel on passe le câble. Ainsi revêtu, le câble d'acier s'avère très sécuritaire pour les mains, et de beaucoup moins glissant. De plus, la solidité de l'appareil est assuré pour plusieurs années. On gagnerait donc à utiliser le câble d'acier recouvert pour le câble supérieur dans les CÂBLES PARALLÈLES, et un câble d'acier non recouvert pour le câble inférieur. Les câbles symétriques, obliques ou horizontaux bénificieraient sûrement de cette technique du câble recouvert.

F) La corde à brêlage.

Cette corde qui sert principalement à nouer les balles de foin est résistante et peu dispendieuse. Elle peut être utilisée dans la confection du LABYRINTHE ou d'un fil sous lequel on rampe. On l'utilisera aussi pour recouvrir de brêlage, les points d'appuis des appareils qui auront été préalablement fixés avec des clous. (Ne pas oublier de mettre de la teinture ou du goudron pour protéger l'arbre . . .)

G) Les chaines.

L'installation de certains appareils pivotants ou mobiles requerra quelque fois l'utilisation de chaines. Elles sont faciles à installer et assurent la solidité dans la mobilité.

CONCLUSION.

Il est facile de constater que plusieurs variétés de câbles sont à la disposition du constructeur de pistes d'hébertisme. On peut tous les utiliser sur la piste (sauf évidemment le câble de nylon) en prenant toutefois bien soin de les agencer intelligemment et de bien choisir la variété requise pour l'appareil que l'on veut obtenir. Encore ici, le choix et l'utilisation des câbles demeure une question de jugement et de bon sens . . .

Lors du stage en hébertisme, les participants doivent d'abord réaliser la maquette de l'appareil qu'ils entendent construire.

CONCLUSION

De ce qui précède, deux constatations s'imposent: premièrement, la perception de l'hébertisme dans son sens le plus complet a été faussée dès le départ. On l'a malheureusement trop souvent assimilée à une détente au grand air et à une récréation originale et peu coûteuse.

En second lieu, les responsables de cette discipline n'ont sûrement pas acquis la formation requise pour perpétuer le noble idéal qu'Hébert s'était fixé.

Devant ce bilan peu reluisant, nous ne pouvons que souhaiter avec Messieurs Lemay et Aubry que:

> *"L'association des camps du Québec en vienne à reconnaitre par une "badge" spéciale, la formation que donnent certains camps en vue d'initier de futurs moniteurs aux responsabilités de l'hébertisme."* (1)

L'autre alternative serait que l'association des camps prenne elle-même la responsabilité des stages d'hébertisme; il serait dès lors possible d'obtenir éventuellement une certaine uniformisation à travers les camps du Québec.

> *"Ces choses-là sont rudes. Il faut pour les comprendre avoir fait des études."* (2)

---

(1) LEMAY & AUBRY, *Hébertisme,* Camp Beauséjour, Ed. des Bois-Francs, 1974, 126 pages à la p. 117.

(2) Victor Hugo, *les Pauvres Gens.*

Voici une vue globale d'un terrain de jeu avant-gardiste de Longueuil P.Q. où les appareils utilisés participent des installations hébertistes.

Les concepteurs du terrain de jeu (piste d'hébertisme urbaine) ont su utiliser les pneus sans pour autant briser l'harmonie de l'environnement.

Cette photo nous présente une vue globale intéressante des "pattes d'éléphants" version urbaine.

Même la "cabane de Tarzan" fait partie du décor. À remarquer que l'on a même planté des arbres. . .

Voici l'entrée de la piste d'hébertisme du camp KATIMAVIK (Base de plein-air de Val des Monts) à Perkins, près de Hull P.Q.

Pour que la "liane de Tarzan" soit agréable à utiliser, le point de départ est très important.

Le "mur" a évidemment sa place sur la piste du camp Katimavik.

Les "poutres d'équilibres" sont dispersées dans les sous-bois, créant ainsi une atmosphère propice à la recherche de l'équilibre.

Les "poutres alternées" sont aussi très en vogue.

Il faut aussi savoir grimper aux arbres.

Le "rouleau à pâte" requiert un équilibre remarquable. Il faut se tenir en équilibre en faisant rouler le billot.

Dès la confection de la maquette de l'appareil projeté, le stagiaire peut d'ores et déjà concevoir les difficultés de construction qu'il devra résoudre.

BIBLIOGRAPHIE

LISTE DES OEUVRES DE GEORGES HÉBERT.

a) Livres

1. **L'ÉDUCATION PHYSIQUE VIRILE ET MORALE PAR LA MÉTHODE NATURELLE,** T-1, Paris, "Vuibert", 1944, 492 p.

2. **L'ÉDUCATION PHYSIQUE VIRILE ET MORALE PAR LA MÉTHODE NATURELLE,** T-2, Paris, "Vuibert", 1944, 643 p.

3. **L'ÉDUCATION PHYSIQUE VIRILE ET MORALE PAR LA MÉTHODE NATURELLE,** T-3, Paris, "Vuibert", 1954, 244 p.

4. **L'ÉDUCATION PHYSIQUE VIRILE ET MORALE PAR LA MÉTHODE NATURELLE,** T-3, fascicule 1, (2e éd.) "quadrupétie", Paris, "Vuibert", 1946, 244 p.

5. **L'ÉDUCATION PHYSIQUE VIRILE ET MORALE PAR LA MÉTHODE NATURELLE,** T-3, fascicule 2, (2e éd.), "grimper", Paris, "Vuibert", 1947, 247 p.

6. **L'ÉDUCATION PHYSIQUE VIRILE ET MORALE PAR LA MÉTHODE NATURELLE,** T-3, fascicule 3, "équilibrisme", Paris, "Vuibert", 1945, 764 p.

7. **L'ÉDUCATION PHYSIQUE VIRILE ET MORALE PAR LA MÉTHODE NATURELLE,** T-4, "natation", Paris, "Vuibert", 1959.

8. **L'ÉDUCATION PHYSIQUE VIRILE ET MORALE PAR LA MÉTHODE NATURELLE,** T-4, fascicule 1, "lever", Paris, "Vuibert", 1947, 324 p.

9. **L'ÉDUCATION PHYSIQUE VIRILE ET MORALE PAR LA MÉTHODE NATURELLE,** T-4, fascicule 2, "lancer", Paris, "Vuibert", 1950, 321 p.

10. **L'ÉDUCATION PHYSIQUE VIRILE ET MORALE PAR LA MÉTHODE NATURELLE,** T-4, fascicule 3, "défense", Paris, "Vuibert", 1955, 797 p.

11. **LES CHAMPS D'ÉBATS,** Paris, "Vuibert", 1944, 115 p.

12. **LE CODE DE LA FORCE,** Paris, "Vuibert", 1941, 195 p.

13. **GUIDE ABRÉGÉ DU MONITEUR ET DE LA MONITRICE,** Paris, "Vuibert", 1941, 171 p.

14. **LA CULTURE VIRILE ET LES DEVOIRS PHYSIQUES DE L'OFFICIER COMBATTANT,** Paris, "Vuibert", 1918, 154 p.

15. **LA CULTURE VIRILE PAR L'ACTION PHYSIQUE,** Paris, "Vuibert", 1943, 157 p.

16. **L'ÉDUCATION PHYSIQUE OU L'ENTRAÎNEMENT COMPLET PAR LA MÉTHODE NATURELLE,** Paris, "Vuibert", 1941, 250 p.

17. **LECON-TYPE D'ENTRAÎNEMENT COMPLET ET UTILITAIRE,** Paris, "Vuibert"

18. **LECON-TYPE DE NATATION,** Paris, "Vuibert", 1951, 184 p.

19. **LA MÉTHODE NATURELLE EN ÉDUCATION PHYSIQUE,** Paris, "Vuibert", 32 p.

20. **MUSCLE ET BEAUTÉ PLASTIQUE FÉMININE,** Paris, "Vuibert", 1942, 352 p.

21. **LE SPORT CONTRE L'ÉDUCATION PHYSIQUE,** Paris, "Vuibert", 1938, 145 p.

Note: La plupart de ces volumes sont disponibles à la Librairie Sports et Loisirs Inc., (autrefois la Centrale des Patros), 850 de la Reine, Québec, P.Q. (Tél: (418) 524-3944)

b) Articles de doctrine.

1. CHEZ LES FEMMES, L'INFLUENCE DU MANQUE D'ÉDUCATION PHYSIQUE SUR LE MORAL, **Revue "L'éducation physique",** (31) mai 1925.

2. LE CHOIX DES ÉPREUVES ET LEUR COTATION, **Revue "L'éducation physique",** (23) juillet 1932.

3. LA DÉFENSE: AGRESSION ET INTERVENTION, **Revue "L'éducation physique",** (32) Octobre, novembre, décembre 1954.

4. DÉFINITION DE L'EXPRESSION "ÉDUCATION PHYSIQUE", **Revue "L'éducation physique",** (21) mai 1924.

5. DÉVELOPPEMENT FONCTIONNEL DU CORPS ET PERFECTIONNEMENT TECHNIQUE DES GESTES, **Revue "L'éducation physique",** (13) janvier, février, mars 1950.

6. L'ÉDUCATION PHYSIQUE DE MASSE, **Revue "L'éducation physique",** (43) juillet 1926.

7. L'ÉDUCATION PHYSIQUE, PROBLÈME NATIONAL, **Revue "L'éducation physique",** (38) février 1926.

8. L'ÉDUCATION PHYSIQUE, PROBLÈME NATIONAL: APPEL AUX GYMNASES, **Revue "L'éducation physique",** (40) avril 1926.

9. L'ÉDUCATION PHYSIQUE: PROBLÈME NATIONAL: **Revue "L'éducation physique",** (41) mai 1926.

10. LE PROBLÈME DE L'ÉDUCATION PHYSIQUE, **Revue "L'éducation physique",** (45) novembre 1926.

11. L'ENTRAÎNEMENT GÉNÉRALISÉ CONTRE L'ENTRAÎNEMENT SPÉCIALISÉ, **Revue "L'éducation physique",** (44) octobre 1937.

12. ÉVOLUTION TECHNIQUE ET PÉDAGOGIE DE LA MÉTHODE NATURELLE, **Revue "L'éducation physique",** (3) juillet 1927.

13. EXPOSE SUCCINT DE LA MÉTHODE NATURELLE, **Revue "L'éducation physique",** (2) juillet 1922.

14. UNE FAUTE GRAVE: LA MÉCONNAISSANCE DU PRINCIPE D'UTILITÉ, **Revue "L'éducation physique",** (21) janvier, février, mars 1952.

15. LE FOOTBALL ET LA JEUNESSE SCOLAIRE, **Revue "L'éducation physique",** (46) décembre 1926.

16. LA FORCE PHYSIQUE, **Revue "L'éducation physique",** (2) 1955.

17. L'IMPOSSIBLE REDRESSEMENT, **Revue "L'éducation physique",** (30) avril, mai, juin 1954.

18. LA LECON DES JEUX OLYMPIQUES, DOUZE ANS APRÈS, **Revue "L'éducation physique",** (24) octobre 1924.

19. LA MESURE PRATIQUE DE LA VALEUR PHYSIQUE GÉNÉRALE, **Revue "L'éducation physique",** (21) janvier 1932.

20. MOUVEMENTS SYNTHÉTIQUES NATURELS ET MOUVEMENTS ANALYTIQUES SUR PLACE, **Revue "L'éducation physique",** (50) avril 1939.

21. LES ORIGINES ET LES ASPECTS DE LA CULTURE PHYSIQUE, **Revue "L'éducation physique",** (51) juillet 1939.

22. LE PARALLÈLE SAISISSANT ENTRE LE SPORT ET LA GYMNASTIQUE, **Revue "L'éducation physique",** (15) novembre 1923.

23. LES PROFESSEURS SPÉCIAUX CHARGÉS DE L'ÉDUCATION PHYSIQUE, **Revue "L'éducation physique",** (7) juillet 1928.

24. RÈGLES SIMPLES RELATIVES À LA FATIGUE, **Revue "L'éducation physique",** (3) juillet 1922.

25. RÉPONSE À QUELQUES CRITIQUES CONCERNANT LA MÉTHODE NATURELLE, **Revue "L'éducation physique",** (18) avril 1931.

26. DÉFINITION DU TERME "GYMNASTIQUE", **Revue "L'éducation physique",** (22) juillet 1924.

27. LE SPORT CONTRE L'ÉDUCATION PHYSIQUE, **Revue "L'éducation physique",** (27) janvier 1925.

28. LE SPORT DANS SA CONCEPTION VRAIE OU ÉDUCATIVE ET LE SPORT DÉVIÉ OU DÉVOYÉ, **Revue "L'éducation physique",** (28) février 1925.

29. LA TACTIQUE DE LÉGITIME DÉFENSE, **Revue "L'éducation physique",** (31) juillet, août, septembre 1954.

30. ÉDUCATION PHYSIQUE ET PRATIQUE DE LA JEUNE FILLE, GYMNASTIQUE FÉMININE: "LA PALESTRE", **Revue "L'éducation physique",** (32) juin 1925.

31. L'ILLUSION DE LA PERFORMANCE SPORTIVE, **Revue "L'éducation physique",** no. 4, 1947.

OEUVRES DIVERSES

a) citées dans le volume.

1. CAMBIER, MÉTHODE NATURELLE, dans LABBÉ, **Traité d'éducation physique,** T-2, chap. 5, Paris, "Gaston Doin et cie", 1930 pp 437 à 489.

2. COUSINEAU, C, **HÉBERTISME,** dans Canadian Camping Magazine, Spring 1969, p. 62.

3. DUPUY, RENAUD ET BARRON, **Les parcours en éducation physique,** T-1: Parcours en espace restreint, T-2: Le cross d'orientation, sport de plein-air, T-3: le matériel, centre d'intérêt en éducation physique.

4. DUSEL, W, **Circuit training with a difference,** dans le magazine Fitness for living, May/june 1969, p. 61.

5. GAUTHIER, M, **Grimper, sauter et courir, est-ce nécessaire?** Supplément famille, vol. 1 no 10, p. 3, Journal de Montréal dimanche le 30 juin 1974.

6. GAUTHIER, P, **Hébertisme,** (reportage), Journal le Droit, Ottawa, le 11 août 1973, p. 24.

7. MALO, N, **Programme d'hébertisme,** Les camps Collinac inc, 1972.

8. MILLER, P, **Creative outdoor play aeras,** "Prentice Hall", Englewoods N-J, 1972.

9. MINGIE, W, **A Hebertisme course for your camp?** Canadian Camping Magazine, Spring 1972, p. 14.

10. **PAUL CARTON ET GEORGES HÉBERT, DEUX MAÎTRES DE LA MÉTHODE NATURELLE,** Les éditions ouvrières, Paris, 1962.

11. PIEH, B, **Ropes course guide,** McArthur College of Education at Queen's University, Kingston Ont, "Open country planning aid" (brochure).

12. RÉCRÉATION CANADA, **Sweat track in Australia may be first of series,** 29/6/1971, p. 33.

13. VUILLEMIN, R, **La méthode naturelle d'Hébert,** (3e éd.) "Les grandes éditions françaises, Paris, 1948.

14. LEGRAND, (F), et LADEGAILLERIE, J, **L'éducation physique au XIXe siècle et au XXe siècle,** 1- En France, chap, 6, Georges Hébert, Paris, "Armand Colin", 1970, pp 69-87.

b) non citées dans le volume.

1. AUDEMARS, M, Georges Hébert et l'éducation physique féminine, dans **ÉDUCATION PHYSIQUE ET SPORT,** 28 décembre 1955.

2. DARMIER, L. Système, méthodes et doctrine, **dans l'éducation physique (F.F.E.P.),** (47) 1966; (48) 1967; (50) 1967; (51) 1967; (52) 1967; (54) 1967; (55) 1967.

3. BARRON, P. Qu'est-ce que le ballon hébertiste ?, dans **Revue d'éducation physique Hébert,** (26) 1953.

4. CHARLES, H. Morale et méthode naturelle, **dans Éducation physique et sport,** (28) décembre 1955.

5. DAVID, P.R. Éducation physique et méthode naturelle, **dans l'Éducation physique,** (39) 1964.

6. DAVID, P.R., L'éducation physique par le travail naturel, **dans Éducation physique et sport,** (25) février 1955; (25) juin 1955.

7. DAVID, P.R. Réflexions sur l'oeuvre de G. Hébert et sur les problèmes actuels de l'éducation, **dans l'Éducation physique (F.F.E.P.),** (48) 1967.

8. DAVID, P.R., Actualité historique de la méthode naturelle, **dans l'Éducation physique Hébert,** (38) 1964.

9. DEMENY, G., L'identitié de doctrine chez Demeny et chez Hébert, dans **Revue d'éducation physique Hébert,** (6) avril 1928.

10. DEMENY, G., L'Éducation physique raisonnée, (Opinion sur l'oeuvre de G. Hébert), dans **l'Éducation physique par la méthode naturelle,** (33) 1963.

11. DUPUY, J-L., Du geste naturel au geste sportif; les sauts., dans **l'Éducation physique Hébert,** (58) 1969.

12. DUPUY, J-L., Éducation physique et méthode naturelle, du geste naturel au geste sportif, **L'éducation physique (F.F.E.P.),** (55) 1968.

13. DURAND, J., Hébertisme et gymnastique de pause, dans **l'Éducation physique par la méthode naturelle,** (33) 1963.

14. Un demi siècle de méthode naturelle, **dans Revue d'éducation physique Hébert,** (1) 1955.

15. FORSANT, O., Application de la méthode naturelle, **dans Revue d'éducation physique Hébert,** (1) janvier 1923.

16. FORSANT, O., Exposés de la méthode naturelle et la doctrine d'enseignement, **dans Revue d'éducation physique Hébert,** (21) mai 1924.

17. FORSANT, O., Une doctrine universitaire: celle qu'inspire la méthode naturelle, **dans Revue d'éducation physique Hébert,** (23) juillet 1932.

18. FORCANT, O., L'éducation physique scolaire: la méthode naturelle répond aux besoins instinctifs de l'enfant, **dans l'Éducation physique par la méthode naturelle,** (7) 1956.

19. FORSANT, O., La méthode naturelle est-ce pédagogique ou non ? **dans Revue éducation physique Hébert,** (6) avril 1928.

20. GANANCIA, M., Éducation physique naturelle, éducation physique fonctionnelle, **dans Éducation physique et sport,** (61) juillet 1962.

21. GUILLEN, E., Méthode naturelle et sécurité, **dans l'Éducation physique (F.F.E.P.)** (50) 1967.

22. GUILLEN, E., La méthode naturelle et la pédagogie moderne, **dans l'éducation physique par la méthode naturelle.**

23. HORAK, F., Hébert et les méthodes réformatrices, **dans Revue d'Éducation physique Hébert,** (7) juillet 1928.

24. LAFITTE, R., Le dosage et le choix des exercices dans la méthode naturelle, **dans Revue d'éducation physique Hébert,** (6) avril 1928.

25. L'éducation physique par la méthode naturelle d'Hébert, **dans Revue d'enseignement et de critique,** numéro spécial 1958, Fédération française d'éducation physique, Paris.

26. Hommage à Georges Hébert, (1905-1955), **dans Éducation physique et sport,** (29) décembre 1955.

27. Cousineau, C., **HÉBERTISME,** Département de récréologie, Université d'Ottawa, 1975, 94 pages.
Pour l'obtenir, écrire à:
Mme M. Mansfield, (ou Claude Cousineau)
Département de récréologie,
Université d'Ottawa,
Pavillon Montpetit, Ottawa, Ont. PRIX: $4.

28. Lemay et Aubry, **HÉBERTISME,** Camp Beauséjour, 1974, 122 pages.
Pour l'obtenir, écrire à:
Camp Beauséjour,
905 sud, Boul. Bois-Francs,
ARTHABASKA, P.Q.
G6P 5W1 PRIX: $4.

29. **LA MÉTHODE NATURELLE D'HÉBERT,** dans le Journal "Reflets", Publication du Centre Immaculée Conception et de la Base de Plain-Air du lac Quenouille, Vol. 16, no. 9, Juillet 1968 à la p. 5.

30. Ulman, **De la gymnastique aux sports modernes,** Livre V, Ch. 2, p. 358, Presses Universitaires de France, Paris, 1965.

Note: Pour les titres colligés en bibliographie, je voudrais remercier:

M. J. Vives de l'École Normale Supérieure d'éducation physique et sportive (ENSEP), France.

M. Claude Cousineau du département de Récréologie de l'Université d'Ottawa.

RÉFÉRENCES SUPPLÉMENTAIRES

MILITARY TRACK, Aviation training division, Office of the chief of the naval operations, United States Navy, Annapolis, Maryland, 1944, 175 pages, pp 59 à 94.

PHYSICAL READINESS TRAINING, Field Manual, U.S. Army, FM-2120, chapitre 16, pp 75 à 95.

BATTLE PHYSICAL TRAINING, "Physical training in the army", WO-9470, Londres 1958 Pamphlet no.4.

PRINCIPLES OF INSTRUCTIONS AND APPLICATION OF TRAINING, "Physical training in the army", WO-9467 Londres 1958, Pamphlet no. 1.

ALLIED SUBJECTS (GROUP A), "Physical training in the army", WO-9471, Londres 1958, Pamphlet no. 5.

ADVENTURE PLAYGROUND, cahiers de documentation nos. 1 et 2, publié par la société centrale d'hypothèques et de logement, Service consultatif sur l'environnement de l'enfant, Ottawa.

N.B. Je tiens à remercier le capitaine Leach des forces armées canadiennes qui a eu l'obligeance de me fournir ces références.

RECRUITS' PHYSICAL TRAINING, "Physical Training in the army", WO-9468, Londres 1958, Pamphlet no. 2.

POLITZER, Annie et Michel, **Les Cabanes des Champs,** Ed. Gallimard, Coll. Kinkajou, Vol. 2, 1974.

ZAUHAR, **Loisir sur le terrain,** Ed. La Centrale des Patros inc., Québec, 1976.

PAR L'AUTEUR:

BELLEMARE, DANIEL A., **L'hébertisme, pour développer des hommes,** Revue Plein-Air, Vol. 2, No. 7, Octobre 1975, pp 28 et 29.

N.B. Cet article a été reproduit dans le journal "INFORM-AUX-CAMPS" publié par l'association des camps du Québec, dans son édition du 30 mars 1976 (Vol. 6, No. 3), en page 5 et ss.

BELLEMARE, DANIEL A., **Les joies de l'hébertisme,** PERSPECTIVES DU DIMANCHE-MATIN, Vol. 8, No. 23, 6 juin 1976, page 8 et ss.

BELLEMARE, DANIEL A., **L'Hébertisme: Une forme non conventionnelle d'éducation physique,** Magazine Loisir-Plus, Septembre 1976, No. 49, page 13 et ss.

TABLE DES MATIÈRES

INTRODUCTION 9

I HISTORIQUE 11

Naissance de la méthode naturelle 11
La venue de l'hébertisme au Québec 14

II L'HÉBERTISME, UN SURVOL 15

La méthode naturelle: un aperçu global 15
notions de base 15
la méthode vue par la presse 16
le but moral 17
application concrète 18
conclusion 18

Les qualités viriles 19
développement des qualités viriles 21
conclusion 24

III L'HÉBERTISME, UNE SPÉCIALISATION 25

Remarques préliminaires 25
Perception de l'hébertisme 26
Discipline sur la piste 28
Les qualités du spécialiste 29
Conclusion 32
Le rôle du spécialiste 32

IV L'HÉBERTISME, UNE APPROCHE PRATIQUE 35

L'Hébertisme en piste 35
L'Hébertisme libre 36
Utilisation du potentiel hébertiste 36
Le coût d'installation 39
Aménagement physique de la piste 39
Identification et sécurité 43
identification 43
sécurité 44
Les oublis traditionnels 45
Le plateau 46
Les routines 46
L'Utilisation des câbles 47
La main d'oeuvre 48
Devise: Être fort pour être utile 48
Conclusion 49
Addenda: quelques précisions utiles 50

V L'HÉBERTISME: UNE APPROCHE LÉGALE . .53

L'Obligation de sécurité 53
Obligation de moyens .54
La faute. 55
L'acceptation des risques. 56
Conditions d'application 58
Devoir du moniteur. 59
Conclusion 61

VI LES PLANS D'APPAREILS 63

Les appareils traditionnels. 63
Autres appareils. 68

VII INDEX DES APPAREILS. 73

La marche 81
Le saut 95
La natation 113
La défense. 114
La quadrupétie 115
La course. 129
L'équilibrisme 133
Le lancer. 169
Le lever et le porter. 173
Le grimper. 185

VIII APPENDICES 213

Appendice I. 213
Les stages d'hébertisme
a) L'Horaire en général 213
b) L'Horaire détaillé. 215

Appendice II 219
Les câbles 219
a) Câble ordinaire 219
b) Câble ordinaire huilé. 219
c) Câble de nylon jaune. 220
d) Câbles d'acier 220
e) Câbles d'acier recouverts de caoutchouc . .220
f) Corde à brêlage 220
g) Les chaînes 221
Conclusion 221

CONCLUSION 223

BIBLIOGRAPHIE. 231

Liste des oeuvres de Georges Hébert 231
a) livres 231
b) articles de doctrine 232
Oeuvres diverses 234
a) citées dans le volume. 234
b) non citées dans le volume 235
Références supplémentaires. 237
Par l'auteur 238